D1496995

I SIMBOLI
DELL'ARTE

ART ESSENTIALS

I SIMBOLI DELL'ARTE

Matthew Wilson

24ORE CULTURA

6   **INTRODUZIONE**

8   **TERRA E CIELO**
10   Acqua
14   Montagna
16   Nuvole
20   Arcobaleno
22   Fulmine
24   Luna
28   Sole
32   Fuoco

36   **PIANTE**
38   Garofano
40   Cipresso
42   Alloro
44   Giglio
46   Loto
50   Palma
52   Vite
56   Papavero
58   Girasole

62   **UCCELLI**
64   Colomba
66   Aquila
70   Gufo
72   Pavone
74   Fenice
76   Falco
78   Gru

80 **ANIMALI**

82 Gatto

86 Cervo

88 Cane

92 Pesce

94 Leone

96 Scimmia

100 Serpente

102 Cavallo

106 Drago

110 **CORPI**

112 Scheletro

114 Teschio

116 Piede

118 Postura

122 Gesti delle mani

124 Sangue

128 Occhio

130 Angelo

134 Aureola

136 **OGGETTI**

138 Conchiglia

140 Arco e frecce

142 Corona

146 Maschera

150 Bilancia

152 Spada

156 Tromba

158 Orologio

162 Specchio

167 **Glossario**

172 **Approfondimenti**

173 **Indice dei nomi**

INTRODUZIONE

L'interpretazione di ciò che viene rappresentato nelle opere d'arte rientra nella disciplina dell'iconografia, una branca della storia dell'arte che comprende anche lo specifico argomento di questo libro: i significati dei simboli, dei motivi e degli emblemi utilizzati dagli artisti.

Un simbolo visivo è un'immagine che rappresenta qualcosa d'altro, che sia un valore o un concetto. Un cane, ad esempio, è spesso associato alla fedeltà, mentre la bilancia è legata alla giustizia.

L'interpretazione dei simboli non è però sempre un processo univoco. Gli esempi presentati in questo volume mostrano simboli che hanno cambiato significato nel corso del tempo e altri il cui senso originario si è offuscato. Questa guida decifrerà alcuni dei riferimenti perduti o dimenticati che stanno dietro i simboli, recuperandone le implicazioni originarie per comprendere meglio gli artisti, le culture e le ideologie da cui sono scaturiti.

Nel corso della storia è possibile individuare un ampio scambio a livello internazionale per quanto riguarda i simboli visivi. La replica dell'immagine di un drago proveniente dalla Cina, ad esempio, si può ritrovare nella Persia medievale, mentre la foglia di palma, che simboleggia la vittoria sulla morte, ricorre in epoche e luoghi molto diversi, come l'antico Egitto, l'Impero romano e il Rinascimento europeo, ma sempre con lo stesso significato. Questi temi e molti altri si sono trasmessi in tutto il mondo attraverso le vie commerciali, la diffusione delle credenze religiose e gli interventi di colonizzazione. Lo studio dei simboli può dirci molto sui contatti inaspettati fra le culture del passato. Qui troverete una selezione dei simboli più comuni presenti nelle culture del mondo, scelti per la loro capacità evocativa e per mostrare come gli artisti se ne siano serviti per aumentare il potere comunicativo, la complessità e la profondità delle proprie opere.

TERRA E CIELO

-

Un'idea, nel senso più elevato del termine,
non può essere espressa che da un simbolo.

-

Samuel Taylor Coleridge
1817

ACQUA

"In essa nascevano e con essa vivevano, con essa lavavano i loro peccati e con essa morivano", scrisse il frate spagnolo Diego Durán nel 1581 sul significato dell'acqua. Si riferiva agli Aztechi, una popolazione la cui religione attribuiva un ruolo centrale alla dea indigena Chalchiuhtlicue, particolarmente legata alla fertilità e al parto.

Queste associazioni non sono specifiche degli Aztechi: l'acqua ha connotazioni simili in altre culture del mondo. I miti di creazione indù, babilonesi ed egizi indicano l'acqua come elemento primordiale generatore di vita. L'islamismo e il cristianesimo la usano per riti di purificazione. L'acqua è uno dei quattro elementi primari che nell'antica Grecia si pensava costituissero tutta la materia dell'universo, ed è uno dei cinque elementi della tradizione cinese.

L'acqua ha un ruolo fondamentale, anche se non immediatamente evidente, nell'interpretazione della pietra del sole, un monolite da 24 tonnellate che probabilmente si trovava nel Templo Mayor della capitale azteca Tenochtitlán (oggi Città del Messico). Come tanti altri manufatti aztechi, questa scultura fu seppellita – senza essere, per fortuna, ulteriormente danneggiata – dai *conquistadores* spagnoli giunti in America Centrale all'inizio del XVI secolo, il cui arrivo segnò la scomparsa della civiltà azteca. Attraverso pittogrammi, simboli e rappresentazioni degli dèi, la Pietra del Sole descrive i cicli di distruzione che caratterizzavano la storia del mondo, il calendario annuale, il ruolo degli dèi nel destino degli uomini e l'importanza dei sacrifici umani.

La testa di Chalchiuhtlicue è rappresentata in forma stilizzata nel rettangolo posto a destra sotto il volto al centro della pietra:

Pietra del sole, regno di Montezuma II (civiltà azteca), 1502-20 Basalto, 358 x 98 cm Città del Messico, Museo Nacional de Antropología

La parte centrale della pietra mostra il viso del dio Tonatiuh, circondato da quattro rettangoli con le immagini delle quattro epoche considerate precedenti; si credeva che in ognuna di esse l'umanità fosse stata annientata da varie catastrofi. L'ultima (la quarta, l'età dell'acqua) si era conclusa con un'inondazione globale e la trasformazione degli esseri umani in pesci (si veda a p. 92).

qui l'acqua viene personificata anziché mostrata direttamente.
La sua presenza nella pietra del sole rientra in un ciclo simbolico
di creazione e distruzione che richiama l'ira degli dèi e il potere
elementare dell'acqua, capace di distruggere ma anche di rinnovare.

L'acqua, insieme ad altri simboli come la **luna**, il **sole** e il **fuoco**, è
un elemento naturale di grande potenza e quindi suscita associazioni
universali presso le culture più diverse. A differenza di simboli
di portata più limitata provenienti dalla flora e dalla fauna, come
il **papavero**, la **gru** e la **conchiglia**, che in genere assumono significati
diversi a seconda delle tradizioni locali, l'importanza simbolica
dell'acqua è molto più rilevante.

Il video artist contemporaneo Bill Viola utilizza l'acqua, insieme
ad altri simboli primari come il **fuoco** e il **sangue**, per infondere

alla sua opera un senso di maggiore impatto e immediatezza.
L'acqua, in particolare, ha un significato personale per l'artista.
Quando aveva sei anni ebbe un incidente durante una partita
di pesca nello Stato di New York e cadde in un lago: ricorda che
l'esperienza dell'immersione fu formativa e la definisce "bellissima",
come un "paradiso". Il suo video di dieci minuti *Tristan's Ascension*
rievoca quelle sensazioni: mostra una cascata al contrario, con un
corpo che si solleva lentamente da un letto e si innalza all'interno
di una colonna d'acqua. Fu proiettato per la prima volta a Los
Angeles nel 2004, per un progetto in cui fu associato a una nuova
produzione dell'opera di Richard Wagner *Tristano e Isotta*, della
durata di quattro ore. Nell'ultimo atto i due protagonisti muoiono
tragicamente e il video di Viola, insieme all'opera collegata *Fire
Woman*, simboleggia la morte e la smaterializzazione degli amanti.
L'acqua viene utilizzata in modo coerente con l'iconografia
tradizionale occidentale e rende la trascendenza di Tristano un
annegamento, un battesimo e una rinascita al tempo stesso.

ALTRE OPERE IMPORTANTI

Andrea del Verrocchio e Leonardo da Vinci, *Il battesimo di Cristo*,
1475, Firenze, Galleria degli Uffizi

Katsushika Hokusai, *La grande onda di Kanagawa*, ca. 1830,
New York, Metropolitan Museum of Art

Joseph Mallord William Turner, *Battello a vapore fuori
dell'imboccatura del porto durante una tempesta di neve*, 1842,
Londra, Tate

Michael Craig-Martin, *Una quercia*, 1973, Londra, Tate

Bill Viola
*Tristan's Ascension
(The Sound of a Mountain
Under a Waterfall)*, 2005
Installazione video-
sonora, proiezione
a colori ad alta definizione,
quattro canali audio con
subwoofer (4.1)
Dimensioni dell'immagine
proiettata: 5,8 x 3,25 m
Dimensioni della sala:
variabili
Durata: 10'16"
Protagonista: John Hay

**La video art di Viola
spesso combina immagini
in *slow motion* con
elementi archetipici
come l'acqua, unendo
tecnologia moderna
e simboli antichi. Anche
il soggetto è legato
alla tradizione: le scene
di apoteosi sono tipiche
dell'iconografia cristiana,
in cui i Santi e la Vergine
Maria ascendono
al cielo dopo la morte
(si veda a p. 25).**

MONTAGNA

Prima dell'invenzione del volo a motore, nel XX secolo, gli esseri umani potevano avvicinarsi al cielo soltanto salendo in cima alla montagna più alta. Non c'è quindi da stupirsi che le montagne siano state associate alla divinità lungo tutta la storia umana e che siano state considerate coma dimore degli dèi o luoghi di incontro fra dèi e uomini. I navajo e gli antichi greci, ma anche i sumeri, gli egizi e i mesoamericani precolombiani associavano le montagne con la santità. Per i seguaci del taoismo, gli ambienti naturali silenziosi come le montagne favoriscono la corretta concentrazione. In India il Monte Kailash è considerato la dimora del dio indù Shiva, mentre il Monte Meru, che nella tradizione buddista corrisponde al centro dell'universo, divenne il modello per l'architettura dei templi chiamati stupa. In Cina i primi esempi di paesaggi artistici furono le sculture di montagne celesti, create per elevare la mente del proprietario a una dimensione spirituale superiore.

Il Monte Fuji ha un'immensa importanza nazionale e religiosa in Giappone e nel 1830 l'artista settantenne Katsushika Hokusai decise

Katsushika Hokusai
Vento del sud, cielo sereno (o *Fuji rosso*), dalla serie *Trentasei vedute del Monte Fuji*, ca. 1830-32 Xilografia, 24,4 x 35,6 cm New York, Metropolitan Museum of Art

Qui si uniscono visivamente cielo e terra: gli altocumuli richiamano le striature dei pini sottostanti e le ultime vestigia di neve sulla cima del monte sembrano fulmini che cadono dal cielo.

di realizzarne un'antologia di trentasei vedute. La serie è un'opera di grande creatività e originalità e mostra spesso il monte nel contesto di attività quotidiane, presentandolo come il fulcro intorno al quale ruotano le vite dei cittadini giapponesi. *Vento del sud, cielo sereno* invece mostra il Monte Fuji da solo e ne sottolinea l'imponenza riducendo i dettagli al minimo e utilizzando i toni dominanti del rosso e del blu.

Il Fuji è un vulcano, la cui ultima eruzione risaliva a poco più di un secolo prima delle *Trentasei vedute del Monte Fuji* di Hokusai. Con la sua caratteristica forma conica, costituisce una presenza vagamente ostile nel paesaggio, ma paradossalmente anche portatrice di vita: l'**acqua** che scorre lungo i suoi fianchi irriga i campi coltivati che lo circondano. Molti gruppi religiosi in Giappone lo veneravano come luogo dove si poteva accedere al mondo degli spiriti o raggiungere l'immortalità. Pellegrini confuciani, shintoisti e buddisti accorrevano al Monte Fuji per costruire santuari e le leggende locali gli attribuivano molte diverse proprietà mistiche.

Lo stesso Hokusai era seguace del buddismo Nichiren, che ricerca un significato spirituale nelle più prosaiche azioni quotidiane. Forse questo spiega perché continuasse a creare legami visivi fra la montagna celeste e le occupazioni del mondo reale, non diversamente da molti artisti europei a partire dal primo Rinascimento, come per esempio Robert Campin, il quale, nel suo *Trittico dell'Annunciazione (Pala Mérode)*, utilizzò oggetti, piante e animali della vita quotidiana per richiamare l'attenzione dei fedeli sull'onnipresenza della divinità (p. 45). Le stampe *ukiyo-e* di Hokusai con la sagoma inconfondibile del Monte Fuji erano realizzate per un pubblico vasto e variegato, e si potevano acquistare più o meno allo stesso prezzo di una ciotola di minestra.

ALTRE OPERE IMPORTANTI

Omphalos, periodo ellenistico (323-30 a.C.), Delfi,
    Museo Archeologico
Tempio di Mahabodhi, VII sec. d.C., Bodh Gaya, Bihar, India
Claude Lorrain, *Il discorso della montagna*, 1656, New York,
    Frick Collection
Anish Kapoor, *As if to Celebrate, I Discovered a Mountain Blooming
    with Red Flowers*, 1981, Londra, Tate

NUVOLE

Una nuvola carica di pioggia oggi potrebbe essere interpretata come presagio di un picnic rovinato o di asfalto scivoloso sull'autostrada, ma in tempi e luoghi diversi le associazioni non sono state sempre negative. Le nubi incombenti nella *Presentazione del ritratto di Maria de' Medici a Enrico IV*, dipinta da Pieter Paul Rubens nel XVII secolo (p. 73), sono per esempio di buon auspicio in quanto pregne di **acqua,** portatrice di fertilità e quindi di crescita e benessere.

Nell'iconografia religiosa spesso le nuvole sono associate ad altri elementi sacri, come gli **angeli** e le **aureole,** e rappresentate come trono o veicolo degli dèi sia nelle tradizioni orientali sia in quelle occidentali, per esempio nella scultura giapponese del XVI secolo *Cervo con specchio sacro dei cinque Kasuga Honji-Butsu* (p. 86). In altri casi le nuvole simboleggiano l'occultamento di una divinità, come nella scena della seduzione di Io da parte di Giove nella mitologia classica e nelle descrizioni bibliche di Dio (*Salmi* 97:2). In Giappone si credeva che Amida, il Buddha celestiale, scendesse su una nuvola per accompagnare in cielo l'anima dei morenti, e l'immagine di un **drago** acciambellato fra le nuvole fu adottata dalla tradizione cinese per simboleggiare l'arrivo delle piogge primaverili e la promessa di prosperità.

Nella *Primavera* di Sandro Botticelli le nuvole hanno un ruolo non appariscente ma comunque fondamentale nella costruzione della scena. All'estremità sinistra della composizione Mercurio, il dio-messaggero della mitologia romana, disperde con il suo caduceo alcune nuvole che si sovrappongono agli alberi di arancio. Si pensa che il dipinto sia una rappresentazione allegorica dell'arrivo della primavera e quindi Mercurio starebbe allontanando le nuvole in previsione dell'estate. Secondo un'altra interpretazione, Mercurio rappresenterebbe un cercatore di verità che trafigge il cielo per consentire alla luce della saggezza di riversarsi sul boschetto sottostante. A prescindere dal significato recondito, l'originale combinazione di figure mitologiche e simboli criptici creata da Botticelli aveva certamente l'obiettivo di lusingare l'intelletto del committente, probabilmente un membro dell'influente famiglia fiorentina dei Medici.

Alle pagine 18-19:
Sandro Botticelli
La Primavera, 1477-82
Tempera su tavola,
202 x 314 cm
Firenze, Galleria
degli Uffizi

Nella *Primavera* Venere si trova al centro della composizione. A destra la ninfa Clori viene trasformata in Flora, la dea della primavera, a sinistra sono raffigurate le tre Grazie. Mercurio è assorto nelle misteriose nuvole sopra la sua testa e non si accorge degli eventi miracolosi che si svolgono accanto a lui.

Armatura *gusoku*
(Giappone),
tardo XVIII-XIX sec.
Ferro, lacca, oro, argento,
lega di rame, cuoio e seta,
138,4 x 57,2 x 52,1 cm
New York, Metropolitan
Museum of Art

**Il motivo del drago
fra le nuvole sulle
armature giapponesi,
come in questo esempio
del periodo Edo,
è portatore di un'innata
maestosità e di un senso
di terrore, ma anche
di buona fortuna
per il proprietario.**

ALTRE OPERE IMPORTANTI

Vaso a forma di drago (Cina), inizio XV sec., New York,
   Metropolitan Museum of Art

Antonio Allegri detto il Correggio, *Giove e Io*, 1532-33, Vienna,
   Kunsthistorisches Museum

Nicholas Hilliard, *Uomo che stringe una mano che sbuca
   da una nuvola*, 1588, Londra, Victoria and Albert Museum

John Constable, *Studio di nuvole*, 1822, Oxford,
   Ashmolean Museum

ARCOBALENO

Insieme ad altri simboli legati al cielo come le **aquile**, i **falchi**,
le **colombe** e la **luna**, spesso gli arcobaleni rappresentano un
collegamento fra l'umanità e gli dèi. Nei miti nordici e amerindi gli
arcobaleni sono presenti in contesti in cui le divinità comunicano con
gli uomini e a volte, nelle rappresentazioni del Giudizio universale,
si trova Gesù seduto su un arcobaleno anziché sulla più abituale
nuvola. Nella narrazione biblica del Diluvio universale Dio pone un
arcobaleno nel cielo per simboleggiare la nuova alleanza con l'uomo

dopo che Noè ha toccato terra: questa scena ne richiama una simile dell'*Epopea di Gilgamesh*, appartenente all'antica mitologia mesopotamica. L'arcobaleno è anche un attributo della dea Iris, messaggera divina nella mitologia greco-romana e controparte femminile di Ermes/Mercurio, che appare nella *Primavera* di Botticelli (pp. 18-19).

Nel dipinto di Angelika Kauffmann la figura femminile è vestita e atteggiata in modo simile a Iris, ma in realtà è la personificazione del Colore, uno dei quattro elementi dell'arte eseguiti dalla pittrice per la sala consiliare della Royal Academy sullo Strand, a Londra, insieme al *Disegno*, all'*Invenzione* e alla *Composizione*. L'allegoria femminile del *Colore* intinge il pennello in un arcobaleno per trasferire le sfumature del cielo alla sua tavolozza. I tre colori primari sono volutamente incorporati nella scena: la donna è vestita di giallo e rosso ed è seduta davanti a un cielo blu. La Kauffmann fu una delle due sole donne a far parte dei fondatori della Royal Academy, perciò la sua scelta di rappresentare i quattro elementi dell'arte attraverso allegorie femminili intraprendenti ed eroiche ha una risonanza aggiuntiva.

In altri contesti, gli arcobaleni assumono ulteriori significati. Sono fenomeni atmosferici piuttosto rari e quindi vengono spesso associati a fortuna e prosperità, per esempio nella cultura del Dahomey, un antico regno dell'Africa occidentale, oppure a eventi di buon auspicio come i matrimoni, in Cina. In un arcobaleno si uniscono tutti i colori e quindi esso è stato usato anche per rappresentare l'armonia, come nelle bandiere della pace e del movimento LGBT.

Angelika Kauffmann
Il Colore, 1778-80
Olio su tela,
126 x 148,5 cm
Londra, Royal Academy

Sotto la personificazione del Colore si vede un camaleonte, un altro simbolo della produzione di colore.

ALTRE OPERE IMPORTANTI

Adriaen van de Venne, *La pesca delle anime*, 1614, Amsterdam, Rijksmuseum

Pieter Paul Rubens, *Paesaggio con arcobaleno*, ca. 1636, Londra, Wallace Collection

Joseph Wright of Derby, *Paesaggio con arcobaleno*, 1794, Derby, Derby Museum and Art Gallery

Vasilij Kandinskij, *Cosacchi*, 1910-11, Liverpool, Tate

Norman Adams, *Rainbow Painting (I)*, 1966, Londra, Tate

FULMINE

In contrasto con il significato generalmente positivo e sereno di **nuvole** e **arcobaleni**, nelle religioni del mondo la rappresentazione dei fulmini come strumenti di punizioni o rivelazioni divine è un tratto comune. Per esempio il fulmine è l'attributo di Zeus/Giove e del dio indù Indra; nel buddismo e nell'induismo un fulmine stilizzato chiamato *vajra* rappresenta il potere spirituale di creazione e distruzione.

In questa coppa mitologica maya dalla decorazione esuberante, prodotta nella regione oggi nota come Guatemala, il fulmine non si vede, ma è simboleggiato da un'ascia nella mano destra di Chahk, il dio della pioggia, che domina la scena. L'ascia del fulmine è di fondamentale importanza in questa rappresentazione che descrive il potere generativo e al contempo distruttivo dell'**acqua**. È con quest'ascia che Chahk colpirà il cielo per riversare la pioggia sulla terra.

Il dio è rappresentato nell'atto di compiere una sorta di danza, con un piede sollevato da terra. Non c'è consenso sul vero significato della scena, ma è possibile che Chahk stia per lanciare la scure in un lungo arco contro il Giaguaro Infante (un'altra divinità maya) che giace davanti a lui sdraiato sopra una grande belva deforme, che probabilmente rappresenta lo spirito di una **montagna**. Davanti a Chahk, il dio della Morte danza con le mani

Coppa mitologica
(civiltà maya),
VII-VIII sec.
Ceramica, 14 x 11,4 cm
New York, Metropolitan
Museum of Art

**Sui piedi di Chahk,
il dio della pioggia maya,
schizza il vomito che
si riversa dalle fauci della
montagna, a significare
la putrefazione causata
dal ristagno d'acqua.**

protese, forse per ricevere l'anima del Giaguaro Infante dopo l'esecuzione. Secondo un'interpretazione alternativa, invece, la danza di Chahk e del dio della Morte ha lo scopo di portare magicamente alla vita il Giaguaro Infante, facendolo passare dal regno dei morti alla terra dei vivi. In ogni caso, il messaggio complessivo della scena rimane legato al potere del fulmine: dopo che Chahk avrà lanciato l'ascia verso il cielo e scatenato la pioggia, la terra riceverà fertilità e rinnovamento.

The Lightning Field di Walter De Maria è un esempio di *land art* del XX secolo e occupa un vasto appezzamento di terreno sugli altipiani del Nuovo Messico: è composta di 400 pali di acciaio, disposti su un'area di un miglio per un chilometro, che servono ad attirare i fulmini. I fulmini devono però cadere entro 61 metri dall'installazione per entrare in contatto con essa e quindi la colpiscono solo una sessantina di volte all'anno, in genere fra la fine dell'estate e l'inizio dell'autunno.

ALTRE OPERE IMPORTANTI

Giorgione, *La tempesta*, ca. 1507, Venezia, Gallerie
   dell'Accademia

Francisque Millet, *Paesaggio montuoso con fulmine,* ca. 1675,
   Londra, National Gallery

William Blake, *Il grande drago rosso e la donna vestita di sole*,
   ca. 1805, Washington, National Gallery

Gokoshima (*vajra* a cinque rebbi), XII-XIV sec., New York,
   Brooklyn Museum

Walter De Maria
The Lightning Field, 1977
400 pali di acciaio,
1 miglio x 1 km
Installazione permanente
Nuovo Messico
occidentale

**Questa scultura
ci riconnette con
un senso primordiale
di reverenza
e insignificanza davanti
alla potenza bruta
della natura, ristabilendo
la nostra percezione
dell'ordine cosmico.**

LUNA

I **fulmini** e il **sole** sono simboli generalmente associati al potere delle divinità maschili, mentre nelle religioni greco-romana, cinese, celtica ed egizia la **luna** è legata a divinità femminili. Lo stesso vale per il cristianesimo: nel capitolo 12 dell'*Apocalisse* si parla di "una donna vestita di **sole**, con la luna sotto i piedi e, sul capo, una **corona** di dodici stelle". Questa descrizione fu adottata dagli artisti per rappresentare la Madonna nelle scene dell'Immacolata Concezione e quindi la luna entrò a far parte dell'iconografia legata alla Vergine Maria.

La mezzaluna, simbolo della castità della Vergine, fu adottata dalla città di Costantinopoli durante la dominazione cristiana, ma poi l'esercito arabo che occupò la città nel XV secolo se ne appropriò ed essa divenne l'emblema dell'Impero ottomano.

Nelle mitologie di tutto il mondo la luna è spesso collegata alla follia, all'assenza della ragione e al potere sulle maree. In Cina la luna è una forza femminile, *yin*, ed è associata alle lepri. Sugli abiti imperiali la luna è un simbolo di buon auspicio; sulla veste a p. 28 è raffigurata sulla spalla destra.

La sontuosa *Maria Regina Coeli* fu dipinta per un convento vicino a Burgos, in Spagna, da un artista olandese. Nel quadro Maria è assunta in cielo con Gesù, Dio e lo Spirito Santo (simboleggiato da una **colomba**), che sta per incoronarla regina del paradiso. È una scena che vuole portare l'attenzione del pubblico sulle glorie dell'aldilà attraverso lo sfoggio di stoffe sfarzose e il coro angelico. Ugualmente importante è la panoplia di simboli riconoscibili, non ultima la mezzaluna dorata e scintillante alla base della composizione, che funge da mezzo di trasporto celestiale.

Una mezzaluna rovesciata compare in cima alla composizione surrealista di Max Ernst *Gli uomini non ne sapranno niente*, dipinta a Parigi nel 1923. La luna e altri elementi del quadro appartengono a un sistema iconografico più criptico, probabilmente basato sulla

Maestro della leggenda di Santa Lucia
Maria Regina Coeli,
1485-1500
Olio su tavola,
199,2 x 161,8
Washington,
National Gallery

Nell'iconografia cristiana, la mezzaluna gialla su cui poggiano i piedi di Maria è un simbolo di castità.

Max Ernst
Gli uomini non ne
sapranno niente, 1923
Olio su tela, 80,3 x 63,8
Londra, Tate

Sul retro del dipinto Ernst scrisse un'enigmatica poesia che lo collegava a Daniel Paul Schreber, un paziente di Sigmund Freud che aveva una fantasia secondo la quale Dio l'avrebbe trasformato in donna. Nel quadro, l'accostamento di sole e luna simboleggia l'incontro del principio maschile e di quello femminile.

psicanalisi e sull'alchimia piuttosto che sul simbolismo cristiano. All'apice dell'immagine un grande disco simile al sole tocca la luna, al di sotto della quale c'è una coppia nell'atto della copula, rappresentata soltanto da due paia di gambe. Ancora più sotto c'è un altro gruppo di dischi che ricorda uno schema di orbite planetarie, con la luce del sole che proietta ombre sul deserto in basso.

Questa combinazione di simboli ha portato gli storici dell'arte a interpretare il quadro come un riferimento al caso di Daniel Paul Schreber, un ex giudice della corte suprema che aveva una fantasia sull'essere trasformato in donna e ingravidato da Dio per dare vita a una nuova razza umana, studiato da Sigmund Freud all'inizio del XX secolo. Freud aveva descritto il fascino esercitato dal sole sul suo paziente e il suo timore dello smembramento, nonché la propria convinzione che Schreber temesse la castrazione e soffrisse di schizofrenia paranoide. Tutto questo è simboleggiato dalle congiunzioni sole-uomo e luna-donna e dagli oggetti fallici smembrati sul suolo-deserto. I simboli alchemici comprendono la copula, che rimanda all'incontro degli opposti, e la mezzaluna rovesciata, simbolo di un'eclissi. L'esoterismo e l'analisi freudiana negli anni Venti esercitavano un grande fascino su Ernst (ex studente di psicologia) e sul suo collega surrealista André Breton (che si era formato come psicanalista).

ALTRE OPERE IMPORTANTI

Francisco de Goya, *Il sabba delle streghe*, 1798, Madrid, Museo Lázaro Galdiano

Tsukioka Yoshitoshi, *Chang'e vola sulla luna*, da *Cento aspetti della luna*, 1885, Londra, British Museum

Evelyn De Morgan, *Elena di Troia*, 1898, Wolverhampton, Wightwick Manor

Henri Rousseau, *Il sogno*, 1911, New York Museum of Modern Art (MoMA)

SOLE

Veste imperiale con drago
(Mang Pao), ca. 1840
Broccato di seta (*kesi*),
lunghezza centrale
154,9 cm
Philadelphia, Philadelphia
Museum of Art

**Questa veste è tutta
ornata di simboli di buon
auspicio, per celebrare
sontuosamente l'autorità
dell'imperatore. Uno dei
più importanti è il sole
rosso sulla spalla sinistra,
visibile nel particolare
ingrandito alla pagina
seguente.**

Veste imperiale con drago
(Mang Pao), ca. 1840
(particolare)

**Qui il sole viene
rappresentato come
una sfera rossa
contenente un uccello
a tre zampe.**

In molte culture del mondo il **sole** viene spesso utilizzato come
simbolo delle virtù più elevate. Nell'arte rinascimentale è un
attributo dell'allegoria della Verità e divinità solari sono presenti
in innumerevoli miti delle civiltà babilonese, egizia, celtica, greca,
indiana, cherokee e maya.

L'emblema del sole sulla spalla sinistra di questa veste cinese
imperiale con drago rimanda anche al concetto di autorità
inattaccabile, questa volta per un sovrano temporale. In Cina il
sole rappresentava il principio maschile e una forza attiva (*yang*)
contrapposta alla **luna**, emblema dell'imperatrice, simbolo di
femminilità e passività (*yin*). Nel complesso, su questa veste sono
raffigurate le nobili qualità dell'imperatore in dodici ornamenti
(sole, **luna**, stelle, **draghi**, il simbolo beneaugurante *fu*, ascia, alghe,
calici, fagiano, **fuoco**, **montagna** e riso), ciascuno dei quali nel
confucianesimo indicava una specifica virtù. Sulla parte anteriore
della veste appaiono le stelle (sotto il colletto), i **draghi**, il simbolo
fu e l'ascia (a destra e a sinistra sotto il petto), le alghe e i calici
(in fondo alla parte gialla, a destra e a sinistra). Il retro
dell'indumento mostra gli altri simboli. Alla corte imperiale soltanto
all'imperatore era consentito riunirli tutti sui propri abiti; inoltre
il colore giallo brillante era riservato esclusivamente a lui.

Anche la posizione degli emblemi sulla veste ha un significato:
il sole celestiale, la luna e le stelle sono vicini alla testa, mentre
i simboli meno importanti si trovano più in basso. Quando
l'imperatore la indossava, egli incarnava letteralmente il cosmo e
la testa si trovava nel punto più vicino al cielo. I cortigiani di rango
inferiore indossavano abiti con simboli meno potenti, per distinguersi

dai loro superiori. Questo è un buon esempio dell'importanza
delle uniformi come parti integranti dell'esercizio efficace
del potere, e di come il simbolismo del colore, dei materiali
e delle forme consentisse ai membri di diversi gruppi sociali
di valutare le reciproche posizioni gerarchiche.

Il simbolo solare dell'imperatore cinese fu adottato anche
in Giappone e il suo potere è arrivato fino a oggi: sulla bandiera
giapponese c'è ancora il sol levante.

Un esempio di simbolismo solare sopravvissuto nel XXI secolo
è *The Weather Project* di Olafur Eliasson, un'enorme installazione
commissionata dalla Tate Modern di Londra. Il tema principale
di questo sole al tramonto ricreato nell'ex sala delle turbine dell'ex
centrale elettrica di Bankside è quello dell'energia rinnovabile.

Olafur Eliasson
The Weather Project,
2003
Lampade monofrequenza,
lamine per proiezione,
macchina del fumo,
lamine a specchio,
alluminio e impalcature,
26,7 x 22,3 x 155,4 m
Installazione temporanea,
Londra, Turbine Hall,
Tate Modern

**Potrebbe anche
essere un sole per l'era
dell'Antropocene:
rinchiuso, ridotto
nelle dimensioni
e nella levatura,
detronizzato dalla
sua antica posizione
predominante.**

ALTRE OPERE IMPORTANTI

Tavoletta del dio Sole, Tempio di Shamash, Sippar (Babilonia),
860-850 a.C., Londra, British Museum

Michelangelo Buonarroti, *Creazione degli astri e delle piante*,
1511, Città del Vaticano, Cappella Sistina

Claude Monet, *Impressione, levar del sole*, 1872, Parigi,
Musée Marmottan Monet

Nancy Holt, *Sun Tunnels*, 1973-76, Utah, Deserto del Grande
Lago Salato

FUOCO

Tra le entità presentate in questo capitolo, il fuoco è l'unica che può essere creata e controllata dall'uomo, ma in molte culture del mondo esso è comunque considerato sacro in quanto emblema di purificazione, sacrificio e illuminazione religiosa. Il simbolismo del fuoco è della massima importanza, per esempio, nella scultura di Shiva Nataraja (Shiva Signore della danza) conservata allo Smithsonian. Qui il fuoco afferma l'autorità cosmica del dio, uno dei tre più importanti nel pantheon induista.

Nella mano all'estrema sinistra Shiva tiene l'*agni*, la fiamma a tre lingue che rappresenta il fuoco con cui distruggerà l'universo; nella mano all'estrema destra però ha un *domaru*, il tamburo il cui ritmo rigenererà il cosmo. L'intera figura è inoltre circondata da un cerchio (simile a un'**aureola**) costellato di fiamme che simboleggiano la fine del mondo causata dal fuoco. È attraverso queste immagini che si può comprendere il ruolo di Shiva come distruttore/creatore e il concetto di tempo come serie infinita di nascite e morti.

Il demone sotto i suoi piedi rappresenta l'ignoranza, schiacciata nell'*ananda tandava* (la danza dell'eterna beatitudine) di Shiva. L'iconografia di Shiva Nataraja, di cui qui vediamo un magnifico esempio, venne fissata intorno al V sec. d.C. e fu perfezionata sotto la dinastia Chola, il cui regno comprendeva l'India meridionale, lo Sri Lanka, le Maldive e altre regioni del Sudest asiatico. La diffusione di questa immagine aggraziata e piena di energia, in cui Shiva, in una posa dinamica ma bilanciata, danza agitando le chiome intrecciate, potrebbe essere stata promossa dai Chola: incarna il senso del trionfo della dinastia sui popoli conquistati e potrebbe anche richiamare una specifica danza rituale dei guerrieri Chola.

L'idea che il fuoco possa distruggere, purificare e rigenerare è presente anche in un'opera d'arte creata circa un millennio più tardi

Shiva Nataraja (India), ca. 990
Bronzo, 70,8 × 53,3 × 24,6 cm
Washington, Smithsonian

Shiva è una delle tre principali divinità dell'induismo, con Vishnu e Brahma. Viene rappresentato in molti ruoli diversi, ma come Nataraja (Signore della danza) incarna l'energia ciclica dell'universo: lo distrugge col fuoco prima di rigenerarlo.

dall'artista tedesco Anselm Kiefer, *Mann im Wald*. Il quadro, come molte altre opere di Kiefer, riguarda l'identità della Germania e l'elaborazione dell'eredità della Seconda guerra mondiale.

Mann im Wald mostra un uomo con baffi e capelli lunghi che assomiglia allo stesso artista, in piedi in una foresta di conifere con in mano un ramo infuocato e circondato da un alone di luce bianca, proprio come Shiva Nataraja. Nel titolo dell'opera non è specificata l'ubicazione, ma in altri dipinti simili Kiefer fa riferimento alla foresta di Teutoburgo, che potrebbe essere anche il luogo qui rappresentato: ha un significato importante per la storia e la coscienza nazionale tedesca, dato che lì nel 9 d.C. le tribù germaniche sconfissero gli invasori romani. Lo storico romano Tacito riporta che i prigionieri romani furono bruciati come sacrifici umani. Tuttavia, il significato generale del quadro e dei suoi simboli non è privo di ambiguità. È possibile che Kiefer voglia presentarsi come purificatore della storia tossica della Germania: il fuoco diventerebbe quindi un simbolo suo personale di un'identità nazionale rivitalizzata.

Anselm Kiefer
Mann im Wald, 1971
Acrilico su tela di ortica,
174 x 189 cm
San Francisco,
Collezione privata

È possibile che qui Kiefer voglia mostrare una specie di profeta contemporaneo, rifacendosi all'immagine della fiamma nei racconti ebraici sul roveto ardente o nelle descrizioni bibliche del fuoco pentecostale.

ALTRE OPERE IMPORTANTI

Huehueteotl, dio del fuoco (civiltà mixteca), Piramide del sole (Teotihuacán), 600-900 d.C., Città del Messico, Museo Nacional de Antropología

Giotto di Bondone e scuola, *Pentecoste*, 1310-18, Londra, National Gallery

Pieter Paul Rubens, *Prometeo incatenato*, 1612, Philadelphia, Philadelphia Museum of Art

K Foundation (Jimmy Cauty e Bill Drummond), *Watch K Foundation Burn a Million Quid*, 1994, isola di Jura, Scozia

PIANTE

-

Quanto più gli artisti sono grandi e attenti,
tanto più apprezzano il simbolismo
e se ne servono senza timore.

-

John Ruskin
1856

GAROFANO

Anche se è facile che sfuggano al primo sguardo, i due garofani rosa
incrociati sulla piastrella bianca nell'angolo in basso a sinistra del dipinto
I bambini Graham costituiscono un'importante chiave interpretativa.
Come molte altre specie vegetali presenti in questo libro, fra cui
il **papavero**, la **palma** e l'**alloro**, il garofano non è particolarmente raro,
ma nel corso del tempo gli sono stati attribuiti diversi significati, utilizzati
dagli artisti per arricchire le proprie opere di dettagli e complessità.

In generale, nell'arte europea e asiatica il **garofano** rappresenta
il fidanzamento; in Cina, tipicamente, simboleggia il matrimonio
e spesso viene abbinato a un **giglio** e a una farfalla. È anche spesso
associato alla Vergine Maria, poiché, secondo la tradizione, sul
terreno dove Maria aveva versato le sue lacrime dopo
la Crocifissione erano cresciuti dei garofani; perciò i garofani rosa
indicano l'amore materno o la carità.

I bambini Graham di Hogarth riunisce quattro tappe dell'infanzia,
nell'atmosfera informale di una famiglia londinese agiata del XVIII
secolo. I soggetti sono i figli di Daniel Graham, farmacista di re
Giorgio II: Hogarth vuole rappresentare da un lato la spensieratezza
dei fanciulli e dall'altro anticipare il loro destino. Thomas, il più
piccolo, è seduto su un elaborato carretto dorato e mangia un
biscotto. Henrietta, la maggiore, tiene maternamente per mano
il fratellino, fissando lo spettatore. Accanto a lei Anna Maria fa una
riverenza da debuttante, mentre l'altro fratello Richard è colto in un
momento di divertimento: intrattiene il cardellino da compagnia
con la melodia della sua serinette, senza accorgersi che il gatto
è appena saltato sullo schienale della sedia e sta puntando l'uccellino.

L'elemento più interessante del quadro è però l'insolita
proliferazione di simboli, utilizzati per comunicare un messaggio non
immediatamente riconoscibile. I garofani si trovano fra Thomas
ed Henrietta, la quale è vestita di azzurro – colore tradizionalmente
attribuito alla Madonna – e tiene in mano due ciliegie, i frutti
del paradiso, che a volte compaiono anche fra le dita del Bambin
Gesù. Anche il cardellino in gabbia ha una valenza simbolica, dato
che spesso viene raffigurato accanto a Gesù e si diceva che avesse

William Hogarth
I bambini Graham
(particolare), 1742

**Prima che Hogarth
terminasse il dipinto,
Thomas Graham,
il bambino sulla sinistra,
morì all'età di due
anni. I delicati garofani
raffigurati sul pavimento
sono probabilmente
il simbolo più discreto
e commovente presente
nel quadro, riferito
al sacrificio e alla perdita.**

William Hogarth
I bambini Graham, 1742
Olio su tela,
160,5 x 181 cm
Londra, National Gallery

La falce e la clessidra sopra l'orologio rafforzano il sottotesto allegorico del dipinto. Le mele, le pere e l'uva matura nel cesto in primo piano alludono alla tenera età del bambino, e anche il gatto che spaventa l'uccellino suggerisce latenti minacce, come quella della mortalità infantile nell'Inghilterra del XVIII secolo.

staccato una spina dalla sua corona prima della Crocifissione. Secondo la tradizione, il colore rosso del suo piumaggio era dovuto a una goccia del sangue di Cristo. Anche se non abbiamo una testimonianza diretta dell'artista, è probabile che Hogarth abbia deliberatamente inserito riferimenti simbolici al martirio di Cristo per indicare la tragica e prematura morte di Thomas Graham, scomparso a due anni prima che il dipinto fosse completato.

ALTRE OPERE IMPORTANTI

Leonardo da Vinci, *Madonna del garofano*, 1478-80, Monaco,
   Alte Pinakothek

Andrea Solario, *Uomo con garofano rosa*, ca. 1495, Londra,
   National Gallery

Francisco de Goya, *La marchesa di Pontejos*, ca. 1786,
   Washington, National Gallery of Art

John Singer Sargent, *Garofano, giglio, giglio, rosa*, 1885-86,
   Londra, Tate

CIPRESSO

"I cipressi mi preoccupano sempre, vorrei farne qualcosa come i quadri di girasoli [...]. Il cipresso è bello nelle linee e nelle proporzioni, come un obelisco egiziano. E il verde è di una qualità così singolare. È una macchia *nera* in un paesaggio soleggiato."

Questo estratto da una lettera scritta da Vincent van Gogh al fratello nel 1889 ci dà un'idea del significato che i cipressi avevano per lui, e che era senza dubbio influenzato anche dalla sua condizione mentale, dopo una serie di crolli nervosi avvenuti l'anno precedente. Per Van Gogh il cipresso (come l'uliveto) era un emblema della regione francese della Provenza, dove si era stabilito. Le sue parole però dimostrano anche che l'artista era consapevole delle associazioni storiche legate a questo albero.

Nell'antica Grecia e nell'antica Roma, così come in Cina e nel subcontinente indiano, i cipressi significavano longevità e perfino immortalità, poiché erano sempreverdi. Curiosamente, sono anche

Vincent van Gogh
Notte stellata, 1889
Olio su tela,
73,7 x 92,1 cm
New York, Museum
of Modern Art (MoMA)

In *Notte stellata* il cipresso incombente in primo piano potrebbe rimandare sia a un cenotafio sia all'eterno legame tra cielo e terra, con la sua sagoma bella e armoniosa che si staglia come una "macchia nera" nella campagna provenzale.

associati alla morte, proprio come i **papaveri**, e per questo
si è instaurata la tradizione di piantarli nei cimiteri. Teoricamente
il cipresso avrebbe il potere di preservare i cadaveri.

In Giappone i cipressi hanno una precisa valenza religiosa: il loro
legno profumato viene utilizzato per la costruzione di templi buddisti
e santuari shintoisti; inoltre durante le cerimonie shintoiste vengono
bruciati rami di cipresso. Il cipresso di Kanō Eitoku, dipinto nel XVI
secolo, si innalza verso il cielo quasi per la spinta interiore
di un'energia spirituale, come quello di Van Gogh, invadendo
il paesaggio circostante con l'ampio tronco e i rami.

Van Gogh era affascinato dalla cultura giapponese, ma è
improbabile che conoscesse l'opera di Eitoku. A differenza di *Notte
stellata*, si trattava di un elemento d'arredo: una porta scorrevole
a pannelli (*fusuma*), preziosa anche dal punto di vista economico,
oltre che estetico, per l'utilizzo massiccio della foglia d'oro.
Fu commissionata dal potente condottiero feudale Toyotomi
Hideyoshi per la nobile famiglia Hachijōnomiya: questo albero sacro
e vigoroso sarebbe stato un simbolo adeguato alla loro importanza.

Kanō Eitoku
Porta scorrevole con
alberi di cipresso, XVI sec.
Inchiostro su carta
ricoperta di foglia d'oro,
170,3 x 460,5 cm
Tokyo, Museo Nazionale
di Tokyo

**Mentre Van Gogh utilizza
il cipresso per incarnare
le proprie emozioni,
Eitoku ne fa chiaramente
un simbolo lusinghiero
per il committente:
è dotato di potere
religioso e domina
l'ambiente circostante.**

ALTRE OPERE IMPORTANTI

Jan Weenix, *Selvaggina con airone morto*, 1695, New York,
Metropolitan Museum of Art
Hubert Robert, *Cipressi*, 1773, San Pietroburgo, Ermitage
Katsushika Hokusai, *Il passo Mishima nella provincia di Kai*,
dalla serie *Trentasei vedute del Monte Fuji*, ca. 1830, New York,
Metropolitan Museum of Art
Arnold Böcklin, *L'isola dei morti*, 1880, Basilea, Kunstmuseum
Basel

ALLORO

Il termine "laureato", come in "poeta laureato", deriva dal cespuglio di alloro, che nei contesti artistici e militari era associato a onore, eccellenza e vittoria. Nella mitologia greco-romana era legato al dio Apollo, che lo venerava da quando la ninfa vergine Dafne, di cui era innamorato, si era trasformata in alloro per sfuggire alla sua lussuria. Nell'antica Grecia i vincitori di competizioni sportive, poetiche e musicali venivano incoronati di alloro e nell'arte romana i condottieri vittoriosi erano adorni di serti d'alloro e fronde di **palma**.

Nell'*Arte della pittura* di Vermeer, dipinta nella città olandese di Delft, la figura femminile in blu è Clio, la musa della storia. Il suo ruolo di celebratrice di grandi eventi è evidenziato dagli elementi a lei associati: la tromba da araldo, il libro della conoscenza e la corona

Johannes Vermeer
L'arte della pittura, 1666-68
Olio su tela,
120 x 100 cm
Vienna, Kunsthistorisches
Museum

Vermeer attira il nostro sguardo sulla corona di alloro posizionando la testa di Clio nella parte centrale della composizione, all'intersezione tra il bordo verticale e il bordo orizzontale della mappa.

di alloro. L'artista, che ci dà le spalle, si ritrae nell'atto di dipingere quest'ultimo elemento, il più importante, forse per esaltare l'arte della pittura come professione suprema, allo stesso livello della poesia o della filosofia.

Il ramo di alloro a sinistra sul rovescio del *Ritratto di Ginevra de' Benci* di Leonardo si unisce a una fronda di palma sulla destra, in posizione speculare, per racchiudere un ramoscello di ginepro. Ognuna di queste piante ha un significato allegorico: il ginepro rimanda al nome Ginevra, l'alloro simboleggia le abilità poetiche della modella e la palma probabilmente si riferisce alla virtù (si veda alle pp. 50-51). Come per esplicitare il messaggio al di là di ogni dubbio, Leonardo aggiunse il motto *Virtutem forma decorat* ("La bellezza adorna la virtù"). Questa associazione di simboli ricorre anche nello stemma personale di Bernardo Bembo, ambasciatore veneziano a Firenze, perciò si pensa che il ritratto volesse celebrare l'amicizia fra Bembo e Ginevra de' Benci.

Leonardo da Vinci
Ritratto di Ginevra de' Benci, 1474-78
Olio su tavola,
38,1 x 37 cm
Washington,
National Gallery

Il retro del dipinto di Leonardo contiene un ritratto simbolico della modella che integra quello figurativo sul fronte.

ALTRE OPERE IMPORTANTI

Ara Pacis Augustae, 9 d.C., Roma, Museo dell'Ara Pacis

Paolo Veronese, *La scelta tra virtù e vizio*, ca. 1565, New York, Frick Collection

Gian Lorenzo Bernini, *Apollo e Dafne*, 1622-25, Roma, Galleria Borghese

Antonio Canova, *Apollo che si incorona*, 1781-82, Los Angeles, The J. Paul Getty Museum

GIGLIO

Il *lilium candidum* – la specie di giglio più utilizzata nell'iconografia occidentale – è di un bianco straordinario, che dà risalto alla forma armoniosa del fiore e alla lunghezza dello stelo. Nelle civiltà mediterranee queste qualità furono spesso associate alle virtù della verginità e della purezza. Si pensa che il *lilium candidum* provenga dalla Palestina e dal Libano, ai confini orientali del Mediterraneo, ma la mitologia greco-romana ce ne spiega l'origine in modo più fantasioso. Secondo una leggenda Era/Giunone, la regina delle divinità olimpiche, stava allattando il piccolo Eracle/Ercole, suo figliastro, ma il suo latte era così abbondante che, non appena il bambino si staccò dal seno della dea, zampillò attraverso il cielo e cadde sulla terra, formando la Via Lattea e facendo nascere i gigli. L'associazione fra i gigli e i concetti di purezza divina e maternità è presente anche negli insegnamenti ebraici e nel simbolismo cristiano. Nell'arte biblica il giglio viene spesso inserito come attributo della Vergine Maria (insieme ad altri simboli come la luna), soprattutto nelle rappresentazioni dell'Annunciazione.

Infatti al centro della *Pala Mérode*, nota anche come *Trittico dell'Annunciazione*, troviamo un vaso di gigli. La pala mostra un evento di importanza capitale per i cristiani: l'annuncio da parte dell'angelo Gabriele che Maria, una donna mortale, darà alla luce il Messia. L'ambientazione mostra un interno e un cortile di stile olandese, che sembra molto ordinario ma in realtà pullula di dettagli

Robert Campin
Pala Mérode
(pannello centrale
e di sinistra), 1427-32
Tempera e olio su tavola,
64,5 x 117,8 cm
New York, Metropolitan
Museum of Art

**Il bianco del giglio
rappresenta la
purezza della Vergine
Maria. Viene spesso
rappresentato nelle scene
dell'Annunciazione,
a volte in un vaso,
come in questo dipinto,
oppure in mano
all'angelo Gabriele.**

simbolici camuffati da oggetti quotidiani, come i gigli, la candela
e il paiolo di bronzo appeso nell'angolo in alto a sinistra. Questo
ci fa comprendere meglio la mentalità medievale europea, che
considerava ogni oggetto terreno come una fonte potenziale di
significati divini, decifrabili dai fedeli e dai curiosi. Il dipinto attesta il
fervore appassionato con cui gli uomini del Medioevo erano pronti a
individuare forme di misticismo nella materialità della vita quotidiana.

ALTRE OPERE IMPORTANTI

Simone Martini, *Annunciazione*, 1333, Firenze,
  Galleria degli Uffizi

Francisco de Zurbarán, *La casa di Nazareth*, ca. 1640, Cleveland,
  Cleveland Museum of Art

Sir Stanley Spencer, *La Resurrezione a Cookham*, 1924-27,
  Londra, Tate

David Hockney, *Mr and Mrs Clark and Percy*, 1970-71, Londra, Tate

LOTO

Il loto è un simbolo di purezza spirituale in innumerevoli culture del mondo; probabilmente è il più esaltato e meglio utilizzato fra i simboli vegetali presenti in questo libro. Il suo dilagante successo come simbolo deriva dalle sue caratteristiche biologiche: la radice di loto sorge dalla fanghiglia stagnante nel letto dei fiumi. I petali e il fiore (che si apre al mattino e si richiude la sera) galleggiano serenamente sulla superficie dell'acqua. Per questo il loto rappresenta la bellezza che emerge dal caos e l'interazione della terra mortale con il **sole** divino.

Nell'induismo il loto è molto importante come simbolo di perfezione e nascita divina: si dice che Brahma sia nato da un loto d'oro e questo fiore è associato a molte divinità, fra cui Vishnu, Surya, Padmapani, Lakshmi, Parvati, Saraswati e Skanda. Nel buddismo il loto è sinonimo di immacolata purezza, ma ha anche un significato più essenziale e spirituale, poiché incarna l'illuminazione ricercata dal Buddha. Le statue spesso rappresentano il Buddha seduto su un trono a forma di loto, e il loto è anche uno degli otto simboli beneauguranti sul suo **piede**.

Il simbolo della regione dell'Alto Egitto è un fiore di loto e a esso sono associate anche diverse divinità egizie, fra cui Nefertem, che si diceva fosse appunto nato da un fiore di loto: una nascita immacolata dal tumulto delle acque primordiali. Questa testa di Nefertem in realtà è un ritratto del faraone Tutankhamon (ca. 1341-ca. 1323 a.C.), sotto le spoglie del dio, al momento della nascita. Questa congiunzione di regale e celestiale intendeva associare Tutankhamon all'autorità del sole ed esprimere il potere rigenerativo delle divinità egizie. Qui il loto è stato impiegato come simbolo dell'autorità temporale.

Testa di Nefertem,
XVIII dinastia,
1549-1292 a.C.
Legno, stucco e pittura,
h. 30 cm
Il Cairo, Museo Egizio

**Nell'antico Egitto
il loto simboleggiava
il potere regale.**

Assume invece un significato opposto in questo mandala cosmologico con il Monte Meru, dove la cornice circolare interna rappresenta un elemento chiave per la dottrina buddista, ossia il susseguirsi incessante di nascita, morte e reincarnazione, almeno finché la meditazione perfetta e l'autocoscienza non consentono l'accesso al nirvana, uno stato di totale illuminazione spirituale. I mandala sono concepiti per una fruizione molto diversa rispetto alle opere d'arte occidentali: sono diagrammi del cosmo, con una composizione simmetrica in cui strati concentrici di cerchi e quadrati rappresentano diversi livelli di esistenza. Vengono utilizzati nella meditazione per guidare concettualmente lo spettatore dalla periferia (l'esistenza terrena) al centro (l'illuminazione).

Negli angoli appaiono vasi da cui fuoriescono fiori di loto e gli otto tesori cinesi. All'interno del cerchio ci sono quattro quadranti, ciascuno dei quali contiene tre piccoli paesaggi racchiusi in cornici di forma diversa, posizionati in direzione dei quattro punti cardinali. A ogni quadrante corrispondono un colore e una forma:

Nord (*Uttarakuru*): oro/giallo; quadrato
Est (*Videha*): argento/bianco; semicerchio
Sud (*Jambudvipa*): lapislazzulo/blu; trapezio
Ovest (*Godaniya*): rubino; cerchio

Prima di raggiungere il Monte Meru si attraversano sette quadrati concentrici che rappresentano catene montuose e oceani. Ai lati della montagna centrale compaiono i simboli cinesi del **sole** (un gallo a tre zampe) e della **luna** (un coniglio). Al centro dell'universo spirituale c'è la cima del Monte Meru (rovesciata, in modo da sembrare un calice), sulla quale appare il divino loto a otto petali.

ALTRE OPERE IMPORTANTI

Amitābha Buddha (Cina), 585 d.C., Londra, British Museum
Scena di caccia nella palude, Tomba di Menna, 1924, facsimile dell'originale, ca. 1400-1352 a.C., New York, Metropolitan Museum of Art
Fariborz Sahba, Tempio del Loto bahá'í, 1986, Nuova Delhi
Lois Conner, *Xi Hu, Hangzhou, China (Triangle Lotus)*, 1998, New York, Metropolitan Museum of Art

Mandala cosmologico
con il Monte Meru
(Cina), XIV sec.
Broccato di seta (*kesi*),
83,8 x 83,8 cm
New York, Metropolitan
Museum of Art

**Questo mandala contiene
diversi simboli spiegati in
questo libro: montagne,
acqua, sole, luna e alcuni
fiori. Il più importante
è però il motivo al centro
della scena: il fiore
di loto sulla cima
del Monte Meru, asse
centrale del mondo.**

PALMA

Il valore simbolico della palma, come quello della **vite,** deriva dal suo ruolo di pianta da frutto piuttosto che dalla sua bellezza intrinseca. La palma da dattero era un elemento essenziale dell'agricoltura nell'antica Assiria e per questo era considerata l'albero della vita. Questa associazione con la fertilità e la nutrizione (e quindi con la vittoria sulla morte) passò all'iconografia egizia, poi a quella greco-romana e infine a quella cristiana.

In Egitto il dio dell'eternità, Heh, aveva in mano un ramo di palma in cui ogni tacca rappresentava un anno, e che quindi simboleggiava la continuità della vita. Per i greci e i romani il ramo di palma era un simbolo di successo militare, associato alla dea Nike/Victoria. L'entrata trionfale di Gesù a Gerusalemme fu celebrata coprendo il terreno di rami di palma, e da allora viene ricordata nella Domenica delle Palme. Nel corso del tempo il ramo di palma nel cristianesimo divenne il simbolo del martirio, perché significava la sconfitta della morte, per poi acquisire una generica associazione con la virtù. Per questo il ramo di palma sul pavimento nel quadro *L'adolescenza di Maria Vergine* di Dante Gabriel Rossetti vuole ricordare allo spettatore il futuro martirio del figlio di Maria, Gesù.

Questo fu il primo dipinto contrassegnato dall'acronimo PRB (Pre-Raphaelite Brotherhood), a indicare la Confraternita dei Preraffaelliti, un gruppo di giovani pittori inglesi che si ribellavano ai canoni artistici stabiliti dalla Royal Academy. Essi si proponevano di rappresentare la natura in modo accurato ma anche di comunicare messaggi spirituali, per contestare gli effetti corrosivi dell'industrializzazione, che consideravano una minaccia alla natura e all'armonia sociale. I simboli visivi erano molto importanti per i Preraffaelliti, ispirati dal critico d'arte John Ruskin, perché davano accesso a concetti spirituali permettendo loro, allo stesso tempo, di studiare con cura le forme naturali. Si rifacevano ad artisti precedenti a Raffaello (1483-1520) e al suo stile idealizzato, come Botticelli, Giovanni Bellini e Van Eyck. Non solo la figura di Gioacchino, il padre di Maria, richiama la posa di Mercurio nella *Primavera* di Botticelli (pp.

Dante Gabriel Rossetti
L'adolescenza di Maria Vergine, 1848-49
Olio su tela,
83,2 x 65,4 cm
Londra, Tate

Le foglie di palma
sul pavimento alludono
all'entrata di Cristo
a Gerusalemme quando,
secondo il Vangelo
di Giovanni, la folla
"prese dei rami di palma
e uscì incontro a lui
gridando *Osanna!*".

18-19), ma nel quadro di Rossetti si notano classici simboli
del Rinascimento quattrocentesco come il **giglio**, la **colomba**, la **vite**
e, sul pavimento, un tralcio spinoso e foglie di palma, a prefigurare
la Crocifissione di Gesù. Nel dipinto Maria sta ricamando un giglio
e meditando sul suo significato profondo, proprio come avrebbero
dovuto fare gli spettatori nelle speranze di Rossetti.

ALTRE OPERE IMPORTANTI

Pashedu in preghiera presso una palma, Tomba di Pashedu,
   1279-1213 a.C., Deir el-Medina, Egitto
Pietro Lorenzetti, *Entrata di Cristo a Gerusalemme*, ca. 1320,
   Assisi, Basilica di San Francesco
Caravaggio, *Martirio di san Matteo*, 1600, Roma,
   San Luigi dei Francesi
Anselm Kiefer, *Palmsonntag*, 2006, Londra, Tate

VITE

Giovanni Bellini
San Francesco nel deserto,
1476-78
Olio su tavola,
124,6 x 142 cm
New York, Frick
Collection

San Francesco è
raffigurato in piedi,
in estasi, mentre riceve
le stimmate, le ferite
del Cristo crocifisso.
La vite ben curata alle sue
spalle simboleggia
la sua fervida devozione
a Gesù. Il tipo di pergola
è simile a quello ripreso
da Dante Gabriel Rossetti
nell'*Adolescenza
di Maria Vergine* (p. 51).

Le foglie di vite compaiono in una varietà di contesti in diverse religioni e culture. Erano un attributo del dio egizio Osiride, ma sono presenti anche nell'iconografia buddista. Nella cultura greco-romana le viti, le foglie di vite e i grappoli d'uva erano associati a Dioniso/Bacco, dio del vino, della fertilità e dell'estasi rituale: adornano i bordi dei bassorilievi che lo rappresentano, formano la sua corona e decorano l'armamentario dei suoi seguaci. Nel cristianesimo la vite ha un significato del tutto diverso: nel Vangelo di Giovanni Gesù dichiara: "Io sono la vite vera", e la pianta funge da allegoria del rapporto fra Dio e l'umanità. La vite può quindi rappresentare Cristo stesso oppure, quando i grappoli d'uva vengono associati al grano, simboleggiare il pane e il vino dell'Eucaristia. Nei repertori rinascimentali di simboli (*emblemata*), la vite cresciuta su un olmo morto significava fedeltà nell'amicizia.

San Francesco d'Assisi (1181-1227) era famoso per la sua devozione a Gesù e la sua vicinanza alla natura e agli animali, aspetti che vengono enfatizzati nel *San Francesco nel deserto* dipinto da Giovanni Bellini a Venezia fra il 1475 e il 1480. La parte superiore della scena è dominata da due piante: un **alloro**, simbolo di onore, che sembra inchinarsi davanti alla preghiera di Francesco, e una vite che simboleggia la devozione del santo a Cristo e fa da tetto al suo studiolo improvvisato.

L'installazione londinese di Yinka Shonibare riunisce le due associazioni occidentali della vite con intento satirico. La scena richiama il *Cenacolo* vinciano, ossia l'evento all'origine del rito dell'Eucaristia. Qui però Gesù è stato sostituito da una figura di Dioniso/Bacco con zampe di capra e mentre la tavola di Leonardo è apparecchiata con ordine, nell'opera di Shonibare c'è un pandemonio di grappoli rovesciati, bicchieri di champagne capovolti, pezzi di carne e tulipani dai colori accesi.

ALTRE OPERE IMPORTANTI

Testa di Dioniso (Gandhāra, oggi Pakistan), IV-V sec. d.C.,
    New York, Metropolitan Museum of Art
Pieter Paul Rubens, *Bacco*, 1638-40, San Pietroburgo, Ermitage
Jerzy Siemiginowski-Eleuter, *Allegoria dell'autunno*, 1680-90,
    Varsavia, Palazzo di Wilanów
Grinling Gibbons, Dossale in legno di tiglio, 1684, Londra,
    St James

Yinka Shonibare
Last Supper (After Leonardo), 2013
Tredici manichini
a grandezza naturale,
tessuti wax in cotone
stampato, tavolo e sedie
in legno in stile, posate
e vasellame d'argento,
stoviglie e bicchieri antichi
e riproduzioni, cibo
in fibra di vetro e resina,
158 x 742 x 260 cm
Londra, Stephen
Friedman Gallery

**Il tema del baccanale
è stato scelto per
ricordare agli spettatori
l'edonismo storico
e gli eccessi come
quelli della Francia
prerivoluzionaria
(le figure senza testa
alludono alle esecuzioni
durante il Terrore),
ma anche la disparità
contemporanea fra
ricchezza e povertà alla
base della crisi bancaria
globale del 2007-2008.**

PAPAVERO

L'oppio si ricava dalle capsule non ancora mature dei papaveri,
che quindi spesso simboleggiano gli effetti dell'oppio stesso:
il sonno, la degenerazione e per estensione anche la morte.
Hypnos, il dio greco del sonno, e Nyx, la dea della notte, hanno
un papavero come attributo. Tuttavia, nell'arte cristiana il papavero,
per il suo colore rosso intenso, è diventato un simbolo del sangue
di Cristo. Le connotazioni sacrificali proseguono anche in contesti
contemporanei. In Gran Bretagna, Australia, Nuova Zelanda,
Canada e Repubblica d'Irlanda, durante le commemorazioni
dei caduti della Prima guerra mondiale si indossano papaveri
della rimembranza artificiali.

Il fiore più grande fra quelli che galleggiano sulla superficie dell'acqua nell'*Ofelia* di sir John Everett Millais è un papavero rosso, che simboleggia la morte di Ofelia per annegamento. Dipinto a Londra, il quadro si ispira all'episodio dell'*Amleto* di Shakespeare in cui la giovane Ofelia impazzisce per il dolore dopo che suo padre viene involontariamente ucciso dall'uomo che ama, Amleto. Folle di dolore, Ofelia distribuisce fiori ai cortigiani spiegando i significati simbolici di ognuno di essi: più tardi scivola in un ruscello e annega. La sua morte però non viene mostrata nella tragedia, ma soltanto descritta dalla regina Gertrude, che ne riferisce i dettagli. È questa la scena che Millais ha visualizzato, ispirandosi alle parole evocative del dramma (Atto IV, Scena VII).

"Cadde nel piangente ruscello. Le vesti, gonfiandosi intorno a lei, la sostennero per un poco, quasi fosse una sirena […], finché, appesantite dall'acqua, non trascinarono la povera infelice dai suoi canti melodiosi a una fangosa morte."

Millais faceva parte della Confraternita dei Preraffaelliti, per cui il linguaggio dei simboli era fondamentale (cfr. *L'adolescenza di Maria Vergine* di Dante Gabriel Rossetti a p. 51). Nel suo quadro quasi ogni fiore, meticolosamente riprodotto, ha un significato preciso, definito nel dramma di Shakespeare. Tuttavia alcuni, come il papavero, non comparivano nell'*Amleto*, quindi per interpretarli il pubblico vittoriano di Millais avrà dovuto consultare una delle tante pubblicazioni dell'epoca sul simbolismo floreale, come *Flowers and their Kindred Thoughts* di Mary Ann Bacon (1848).

Sir John Everett Millais
Ofelia, 1851-52
Olio su tela,
76,2 x 111,8 cm
Londra, Tate

Millais passò mesi a dipingere all'aria aperta accanto a un ruscello nel Surrey per riprodurre accuratamente i dettagli naturalistici. Il papavero risalta perché rosso e verde sono colori complementari.

ALTRE OPERE IMPORTANTI

Sarcofago marmoreo romano con il mito di Selene ed Endimione, inizio III sec. d.C., New York, Metropolitan Museum of Art

Paolo Veneziano, *Madonna del papavero*, ca. 1325, Venezia, San Pantalon

Michelangelo, *La Notte*, 1526-31, Firenze, Basilica di San Lorenzo, Sagrestia nuova

Paul Cummins e Tom Piper, *Blood Swept Lands and Seas of Red*, 2014, installazione temporanea alla Torre di Londra

GIRASOLE

I girasoli sono originari delle Americhe e furono introdotti soltanto nel XVI secolo in Europa, dove in breve divennero un simbolo artistico di devozione, poiché le corolle dei girasoli non maturi seguono il corso del **sole** nel cielo. Nell'*Autoritratto con girasole* di Antoon van Dyck la pianta sembra quasi un secondo modello e rispecchia lo sguardo dell'artista, con i petali nella parte superiore rivolti con studiata noncuranza in avanti, come le ciocche di capelli sulla fronte di Van Dyck. I **gesti delle mani** sottolineano il parallelismo, ma con la mano sinistra l'artista mette in evidenza con *nonchalance* anche la catena d'oro che porta al collo, e che aveva ricevuto in dono da re Carlo I d'Inghilterra quando era stato fatto cavaliere e nominato principale pittore di corte. Il girasole dunque rappresenta la sua incrollabile fedeltà al sovrano: un'idea tratta probabilmente da uno dei vari repertori di emblemi disponibili nel XVII secolo. Come altri quadri presenti in questo libro, l'iconografia di Van Dyck avrebbe potuto essere decifrata soltanto da una ristretta cerchia di amanti dell'arte.

Si pensa che la coltivazione dei girasoli sia iniziata intorno al 3000 a.C. nelle regioni meridionali del Nordamerica. Dorothea Tanning dipinse *Eine kleine Nachtmusik* proprio in quest'area, oggi nota come Arizona, ove viveva con il compagno e futuro marito Max Ernst (p. 26).

Antoon van Dyck
Autoritratto con girasole,
1633
Olio su tela, 73 x 60 cm
Collezione privata

Anche se non abbiamo
molti modi per verificare
questa interpretazione,
generalmente
si ritiene che il girasole
nell'autoritratto
di Van Dyck intenda
simboleggiare la fedeltà
dell'artista a re Carlo I
d'Inghilterra.

Nell'opera di Dorothea Tanning, il girasole esprime idee personali e concetti psicologici. L'artista ha dichiarato di vedere un legame fra il fiore e la vampa oppressiva del sole dell'Arizona:

"È come un conflitto. Tutti credono che lui/lei sia il proprio dramma. Anche se non sempre hanno girasoli giganti (i più aggressivi fra i fiori) contro cui lottare, ci sono sempre scale, corridoi, perfino spazi molto privati dove si mettono in scena soffocamenti e finalità".

In questo dipinto la Tanning, utilizzando un approccio molto diffuso fra gli artisti del XX e XXI secolo, ha abbandonato l'iconografia tradizionale per privilegiare simboli dalla risonanza privata e quindi ambigua e inquietante.

ALTRE OPERE IMPORTANTI

Bartholomeus van der Helst, *Ritratto di signora con girasole*, 1670, collezione privata

Charles de La Fosse, *Clizia trasformata in un girasole*, 1688, Versailles, Grand Trianon

Vincent van Gogh, *Girasoli*, 1888, Londra, National Gallery

Egon Schiele, *Girasoli II*, 1910, Vienna, Wien Museum

Dorothea Tanning
Eine kleine Nachtmusik,
1943
Olio su tela,
40,7 x 61 cm
Londra, Tate

Attraverso il fiore,
e soprattutto grazie
al dettaglio dei due petali
gialli strappati dalla
corolla, l'artista insinua la
presenza di un'indefinita
crudeltà nelle due
ragazze. Il punto in cui
i petali sono stati
strappati inoltre è
allusivamente allineato
con la porta semiaperta
della camera da letto
lungo il corridoio.

UCCELLI

-

**Non vuoi capire che ogni Uccello
che fende le vie dell'aria
è un universo di delizie,
chiuso dai tuoi cinque sensi?**

-

William Blake
1793

COLOMBA

El Greco
Annunciazione,
1597-1600
Olio su tela, 315 x 174 cm
Madrid, Prado

Nell'iconografia del tardo
cristianesimo la colomba
divenne un simbolo dello
Spirito Santo. Per questo
la si può trovare come
elemento decorativo nelle
chiese e in scene come
questa *Annunciazione,*
dipinta in Spagna.

In molte culture del mondo le colombe sono associate a elementi positivi come la pace e l'anima umana, a differenza di altri uccelli presenti in questo libro come l'**aquila** e il **falco**, che di solito simboleggiano rango e potere. Si trovano colombe nelle opere d'arte create da alcune fra le civiltà più antiche del mondo, solitamente in presenza di potenti divinità femminili legate alla fertilità e al sesso come Inanna (nella cultura sumera), conosciuta anche come Ishtar (nell'impero accadico della Mesopotamia, ca. 2334-2154 a.C.) e Astarte (nella cultura fenicia, ca. 2500-539 a.C.). La colomba è anche un attributo della dea greco-romana dell'amore, Afrodite/ Venere. Nella dinastia cinese Han le colombe erano simbolo di benessere e in Giappone sono associate all'unità.

Nelle prime tombe cristiane, una colomba con un ramo d'ulivo rappresentava l'anima che riposava nella pace dei cieli. Questo simbolo deriva dalla storia di Noè nel libro della *Genesi* del Vecchio Testamento, dove il ritorno della colomba con un rametto di ulivo nel becco indica la ritrovata concordia tra Dio e l'umanità.

ALTRE OPERE IMPORTANTI

Elemento decorativo a forma di colomba (Cina),
 II sec. a.C. - I sec. d.C., Oxford, Ashmolean Museum
Mosaico della cupola, inizio VI sec., Ravenna,
 Battistero degli Ariani
Tiziano, *Venere e Adone*, 1550-60, New York, Metropolitan
 Museum of Art
Banksy, *Armoured Dove of Peace*, 2007, Barriera di separazione
 israeliana, Israele

Pablo Picasso
Colomba con fiori, 1957
Matita colorata su carta,
50 x 65 cm
Collezione privata

Nel 1950, a un Congresso sulla pace a Sheffield, Picasso raccontò che era stato suo padre a insegnargli a disegnare colombe, concludendo: "Sono a favore della vita contro la morte; sono per la pace contro la guerra".

AQUILA

Nel ritratto di *Ice-T* di Kehinde Wiley, sotto i piedi del leggendario rapper si distinguono la testa e le ali spiegate di un'aquila. L'aquila è un simbolo di potere: l'esempio più famoso sono le insegne degli imperatori romani e dei loro eserciti. Il popolo di Roma considerava l'aquila come l'uccello più glorioso perché era associata a Giove, la divinità più importante, il re del loro pantheon. Prima di quel momento le aquile erano simboli divini nella cultura sumera e nello zoroastrismo. Dopo i romani molti altri imperi ripresero il simbolo dell'aquila, ad esempio il Sacro Romano Impero (800-1806 d.C.), l'Impero napoleonico (1804-15 d.C.) e quello russo (1721-1917 d.C.). Il dipinto di Wiley contiene molti simboli, ma l'aquila è quello con la storia più lunga.

Ice-T fu commissionato dal canale musicale VH1 e fa parte di una serie di ritratti di celebrità iconiche realizzati da Wiley per gli Hip Hop Awards del 2005. Come in molte altre sue opere, una figura contemporanea di colore è stata inserita in un famoso dipinto del canone occidentale, per rovesciare le aspettative e far riflettere lo spettatore sul linguaggio visivo del potere e dell'autoraffigurazione maschile.

Prima di intraprendere il lavoro, Wiley si incontrò con Ice-T per discutere del modo di rappresentarlo. "Il livello e la dismisura del suo ego erano davvero sconvolgenti", dichiarò in seguito l'artista. "Io invitato le celebrità a scegliere chi volevano essere, e lui è andato dritto al ritratto di Napoleone. Diceva cose come 'Se qualcuno merita di essere Napoleone quello sono io. Sono il padre del gangster rap'. E così si è autoincoronato."

Il ritratto scelto da Ice-T era *Napoleone I sul trono imperiale* di Ingres; Wiley non ha sostanzialmente alterato i dettagli dell'originale. Una modifica significativa però c'è: la punta dello

Kehinde Wiley
Ice-T, 2005
Olio su tela,
243,8 x 182,9 cm
Collezione privata

Wiley ha riutilizzato e adattato il dipinto *Napoleone I sul trono imperiale* di Jean-Auguste-Dominique Ingres (1806) per rappresentare Ice-T come l'onnipotente imperatore dell'hip hop, completo di tutti i simboli tradizionali dell'autorità.

Jacopo Tintoretto
Origine della Via Lattea,
ca. 1575
Olio su tela,
149,4 x 168 cm
Londra, National Gallery

In questa scena che
descrive la creazione
della Via Lattea,
Tintoretto ha utilizzato
gli uccelli associati
a Zeus/Giove ed Era/
Giunone – l'aquila e il
pavone – per identificare
la coppia. Il dipinto è
stato tagliato: in origine
si vedevano dei gigli
spuntare dove il latte
di Era/Giunone
era schizzato a terra.

scettro di Carlo Magno, che Napoleone tiene nella mano sinistra, nella versione di Ingres poggia sull'ala dell'aquila, mentre in quella di Wiley è invece orientata verso la testa dell'aquila; inoltre l'indice sinistro di Ice-T punta in modo molto più assertivo verso il basso, attirando l'attenzione sul potente simbolo sottostante.

L'atto di appropriazione artistica di Wiley non è senza precedenti nella cultura occidentale: Ingres stesso, per conferire potenza all'immagine del suo quadro, aveva adottato la posa e la composizione di opere precedenti, tra cui la colossale statua di Zeus a Olimpia realizzata da Fidia (ca. 435 a.C.) e la figura di Dio Padre dipinta da Jan van Eyck nel *Polittico di Gand* (1432). Nelle rappresentazioni convenzionali, come quella di Tintoretto nell'*Origine della Via Lattea*, Zeus/Giove viene spesso mostrato al di sopra di un'aquila che tiene un **fulmine** fra gli artigli. Questa immagine deriva dalla credenza romana secondo la quale, dopo la morte di un imperatore, un'aquila ne trasportava lo spirito in cielo.

Nel dipinto di Tintoretto si vede Giove che porta il figlio illegittimo Ercole a succhiare di nascosto il latte di Giunone dormiente, una storia connessa con il mito della creazione della Via Lattea e dei **gigli** (si veda a p. 44). Nel frattempo l'impertinente aquila di Giove lancia un richiamo all'animale di Giunone, un **pavone** che si mostra decorosamente indifferente.

ALTRE OPERE IMPORTANTI

Rilievo con divinità dalla testa d'aquila (civiltà assira), ca. 883-859 a.C., New York, Metropolitan Museum of Art

Nicolas Poussin, *Paesaggio con san Giovanni a Patmos*, 1640, Chicago, The Art Institute of Chicago

Jacques-Louis David, *La distribuzione degli stendardi con le aquile*, 1810, Versailles, Château de Versailles

Robert Rauschenberg, *Canyon*, 1959, New York, Museum of Modern Art (MoMA)

GUFO

Il gufo è un uccello notturno ed è collegato al buio e alla morte nelle iconografie maori, babilonese, cinese, giapponese e indù. È quindi l'unico uccello in questo capitolo che sia portatore di associazioni ampiamente negative, a differenza della regale **aquila**, della pacifica **colomba**, della nobile **gru** e dell'agile **falco**. Un esempio notevole e molto antico di questo sinistro legame è la scultura mesopotamica conservata al British Museum chiamata Rilievo Burney (ca. 1800-1750 a.C.), che mostra una divinità ctonia circondata da gufi. Tuttavia, in altri contesti i gufi sono associati alla saggezza: per esempio erano legati ad Atena/Minerva, la dea greco-romana della strategia militare e della sapienza. Nell'arte rinascimentale i gufi incarnano anche l'allegoria del sonno, per esempio nella scultura della *Notte* di Michelangelo (1526-31), nella Sagrestia nuova della Basilica di San Lorenzo a Firenze,

Rembrandt van Rijn
Pallade Atena, ca. 1657
Olio su tela, 118 x 91 cm
Lisbona, Museo Calouste
Gulbenkian

**La *Pallade Atena*
di Rembrandt, dipinta
nella Repubblica
olandese, associa alla dea
i suoi attributi classici,
tra cui uno scudo con
l'immagine della testa
di Medusa e un gufo d'oro
sulla sommità dell'elmo.**

dove un gufo è posato accanto a un mazzo di soporiferi fiori
di **papavero**.

La testa di bastone a forma di gufo di epoca precolombiana,
creata in quella che oggi è la Colombia settentrionale, è fatta
d'oro, metallo definito "il sudore del **sole**": anche se sappiamo
relativamente poco dell'iconografia zenú, è probabile che il gufo
fosse considerato una creatura divina, e forse la sua presenza su un
bastone appartenente a un sacerdote o capotribù indicava un potere
divino. A differenza delle altre civiltà precolombiane circostanti,
che rappresentavano gli animali come esseri feroci e vendicativi,
gli zenú li vedevano come benevoli e protettivi.

ALTRE OPERE IMPORTANTI

Rilievo Burney (Mesopotamia, oggi Iraq), 1800-1750 a.C., Londra,
 British Museum

Moneta da quattro dracme con gufo di Atena sul rovescio
 (Grecia), 594-527 a.C., Londra, British Museum

Francisco de Goya, *Il sonno della ragione genera mostri* (n. 43),
 dalla serie *Capricci*, 1799

Paul Nash, *Totes Meer*, 1940-41, Londra, Tate

Testa di bastone a forma
di gufo (civiltà zenú,
Colombia), 1-1000 d.C.
Oro, 12,1 x 6,7 x 4,5 cm
New York, Metropolitan
Museum of Art

**Il gufo sulla testa
del bastone cerimoniale
rappresentava forse
un simbolo di potere
per il sacerdote
o capotribù zenú che
lo possedeva.**

PAVONE

In India, Cina e Persia i pavoni sono sinonimo di regalità e a volte vengono raffigurati come cavalcature di Brahma, di Buddha e del dio della guerra indù Kartikeya/Skanda. La loro grazia innata e gli splendidi colori hanno reso i pavoni simboli naturali di bellezza in tutta l'Asia e l'Europa ed è questo spesso il tema dominante delle opere che il rappresentano, fra cui *Pavoni e ciliegio* di Imazu Tatsuyuki. In Giappone sono anche simboli di buon auspicio per l'associazione con le divinità buddiste, nonché di fertilità e di abbondanza, per gli innumerevoli "occhi" presenti sulle penne, e di protezione, perché i pavoni mangiano i serpenti.

Nella mitologia greco-romana il regale pavone era associato alla regina degli dèi Era/Giunone: secondo la tradizione, questa gli aveva donato il caratteristico motivo delle penne dopo la morte del suo servitore, il gigante Argo dai cento occhi. Nella *Presentazione del ritratto di Maria de' Medici a Enrico IV*, Pieter Paul Rubens eleva i due soggetti associandoli alle supreme divinità classiche: nell'angolo in alto a sinistra si vede l'**aquila** di Zeus/Giove, contrapposta al pavone di Era/Giunone.

Imazu Tatsuyuki
Pavoni e ciliegio, ca. 1925
Paravento a due pannelli,
colori minerali e polveri
metalliche su carta,
203,5 x 185 cm
New York, Metropolitan
Museum of Art

**Su questo paravento
finemente dipinto,
Tatsuyuki raffigura
una femmina di pavone
che ammira il sontuoso
piumaggio di un maschio.**

Pieter Paul Rubens
*Presentazione del ritratto
di Maria de' Medici
a Enrico IV*, 1622-25
Olio su tela,
394 x 295 cm
Parigi, Louvre

**Qui Rubens utilizza
gli attributi convenzionali
degli dèi: un'energica
aquila con un fulmine fra
gli artigli per Zeus/Giove
e un pavone splendido ma
passivo per Era/Giunone.**

Nell'iconografia cristiana i pavoni erano legati all'immortalità,
perché si diceva che la loro carne non si deteriorasse, e alla
resurrezione, per il rinnovamento stagionale delle penne. Inoltre
i pavoni simboleggiavano il paradiso, perché gli "occhi" sulle penne
apparivano simili a stelle: questi concetti portarono a inserire
il pavone in dipinti come l'*Adorazione dei Magi* di Beato Angelico
e Filippo Lippi.

ALTRE OPERE IMPORTANTI

Skanda sul suo pavone, VII sec. d.C., Parigi, Musée National
  des Arts Asiatiques-Guimet

Beato Angelico e Filippo Lippi, *Adorazione dei Magi*, 1440-60,
  Washington, National Gallery of Art

Carlo Crivelli, *Annunciazione con sant'Emidio*, 1486, Londra,
  National Gallery

William Morris, Tende con pavone e drago, 1878, Londra,
  Victoria and Albert Museum

FENICE

La fenice è una creatura mitologica che vive per 500 anni e poi brucia per rinascere dalle proprie ceneri. Inoltre è unica, perché nel mondo ne esiste sempre soltanto una. La parola "fenice" è di origine greco-romana. Culture diverse hanno nomi alternativi per creature analoghe: per gli antichi egizi era *bennu*, per i cinesi *feng huang* e per i persiani *si-murg*. In Cina la fenice era un simbolo di dominio benevolo ed era l'emblema dell'imperatrice, mentre il **drago** rappresentava l'imperatore; inoltre era considerata anche uno dei quattro guardiani dell'universo, insieme al **drago**, all'unicorno e alla tartaruga. Grazie alla sua capacità di rinascere è diventata una metafora visiva di rinnovamento, equivalente animale dei simboli dell'**acqua** e dei **cipressi**, che indicano longevità e resistenza al decadimento.

Il legame con il rinnovamento è molto chiaro nell'iconografia cristiana, dove la fenice è associata alla Resurrezione di Gesù; per questo appare sul frontone della cattedrale di St. Paul a Londra, sopra l'iscrizione latina "RESURGAM", che significa "risorgerò". La cattedrale attuale in realtà è una ricostruzione della struttura precedente, distrutta dal grande incendio di Londra del 1666. Il fuoco era partito da una panetteria e si era diffuso rapidamente, avviluppando l'intera città e devastando i quattro quinti degli edifici. Fu una catastrofe per la maggior parte dei londinesi, ma anche un'opportunità unica per l'architetto sir Christopher Wren, che sovrintese alla ricostruzione della cattedrale e di altre cinquantuno chiese nella City di Londra. La cattedrale fu di nuovo agibile dopo un periodo di lavori durato soltanto 36 anni.

Caius Gabriel Cibber
Bassorilievo con fenice
Resurgam, 1675-1711
Pietra di Portland
Londra, St. Paul

La fenice era il simbolo ideale per il frontone sud della cattedrale di St. Paul, per dimostrare il rapido rinnovamento di Londra e l'irreprimibile vitalità della fede cristiana (e, nello specifico, protestante), pur dopo la distruzione della precedente cattedrale nel grande incendio di Londra del 1666.

ALTRE OPERE IMPORTANTI

Fenice, dal Bestiario di Aberdeen, XII sec., Aberdeen, University of Aberdeen

Piastrella con immagine di fenice (Persia), tardo XIII sec., New York, Metropolitan Museum of Art

Pannello con fenici e fiori (Cina), XIV sec., New York, Metropolitan Museum of Art

James Gillray, *Napoleone Bonaparte (Apoteosi della fenice corsa)*, 1808, Londra, National Portrait Gallery

FALCO

In Europa e Asia i falchi sono sinonimo di élite e vengono spesso usati nei ritratti per nobilitare i soggetti umani, come in questo dipinto indiano. Qui gli uccelli sono i simboli predominanti, e infatti non è presente soltanto il falco, guardato con rispetto perfino da un principe della dinastia Moghul: la magnifica veste gialla dell'uomo è decorata sopra la cintura con altri splendidi uccelli, fra cui alcune **gru** e una **fenice**. La falconeria era uno sport riservato ai ricchi e ai potenti: nel XIII secolo Marco Polo osservò che l'imperatore mongolo Kublai Khan aveva una scorta di 70.000 uomini, che lo accompagnavano a caccia con uccelli da preda. Il costo di tali imprese naturalmente portò ad associare i falchi al potere e al prestigio, ma le qualità intrinseche del falco come animale – la capacità di volare alto, l'agilità e la vista acuta – ne fecero anche un simbolo di nobiltà di spirito. In Cina e Giappone la parola che significa "falco" ha lo stesso suono di quella che significa "eroico".

Principe con falco, 1600-05
Acquerello opaco, oro
e inchiostro su carta,
14,9 x 9,5 cm
Los Angeles, Los Angeles
County Museum of Art

**In questa piccola immagine
il falco occupa il centro
della scena, per indicare
il suo grande valore come
proprietà della classe
dominante. Le reazioni
del principe Moghul sono
significative: cerca
di placarlo con lo sguardo
e fa un gesto conciliante
con la mano, lasciando
intendere che non
si tratta di un comune
animale da compagnia.**

Nell'antico Egitto i falchi avevano un significato molto importante in quanto erano associati con il dio-re Horus, che veniva rappresentato anche come un falco o un uomo con testa di falco; erano però legati anche ad altre divinità come Ra, Montu, Khonsu e Sokar. Il geroglifico del falco rappresentava infatti la parola "dio".

Il pettorale egizio qui riprodotto mostra due falchi in rilievo. È fatto d'oro e di 372 frammenti finemente cesellati di corniola, lapislazzulo, turchese e granato. È un po' più piccolo di una carta di credito e veniva indossato come pendente, probabilmente da una principessa.

Pettorale senza collana (Egitto), 1887-1878 a.C. Oro, corniola, feldspato, granato, turchese e lapislazzulo, 4,5 x 8,2 cm New York, Metropolitan Museum of Art

Al centro di questo pettorale si vedono lo stemma del faraone Senwosret II e i falchi posati su due anelli shen, amuleti di protezione che simboleggiano il sostegno degli dèi al suo regno.

ALTRE OPERE IMPORTANTI

Amuleto con falco e testa di ariete (Egitto), 1550-1069 a.C., Parigi, Louvre

Arazzo con bagno del falco (Paesi Bassi), 1400-15, New York, Metropolitan Museum of Art

Pinturicchio, *Penelope e i Proci*, ca. 1509, Londra, National Gallery

Keshav Das, *Akbar con falco dà udienza a Itimam Khan, mentre in basso un supplice povero viene allontanato da una guardia reale*, pagina di un album dell'imperatore Jahangir, 1589, Berlino, Staatsbibliothek

GRU

Ritratto di un censore imperiale con la moglie, fine XVIII-inizio XIX sec. Rotolo da parete, inchiostro e colori su seta, 163,8 x 98,7 cm New York, Metropolitan Museum of Art

In Cina le gru sono di buon auspicio e portano felicità. Si pensava che vivessero molto a lungo e il fatto che tornassero in primavera le collegava al tema della rigenerazione.

In Cina e in Giappone la gru è un motivo ricorrente dal significato religioso, poetico e artistico. Le gru hanno una grazia naturale e sinuosa che si mostra al meglio durante la loro tipica danza di corteggiamento, inoltre possono volare molto in alto nell'atmosfera. Sono quindi simbolo di eleganza, elevazione, illuminazione spirituale, ambizione personale e (come la **fenice**) longevità. Con quest'ultimo significato, nell'arte cinese vengono spesso mostrate insieme al pino e alla tartaruga, altri simboli di resistenza. Per la loro capacità di volare alto si pensava che accompagnassero in cielo i morti e che fungessero da messaggere degli dèi.

Il *Ritratto di un censore imperiale con la moglie*, risalente alla dinastia cinese Qing, contiene vari simboli visivi, fra cui le creature mitologiche sulle divise di corte dei soggetti, che indicano l'alto incarico del marito come funzionario statale cinese. I simboli più beneauguranti presenti nella scena sono quelli che indicano il desiderio di longevità e successo prolungato dei coniugi: il pino che li sovrasta e la coppia di gru a corona rossa in primo piano.

In Europa a volte la gru è associata ai concetti di dovere e vigilanza. Si pensava che in uno stormo di gru una restasse sempre sveglia a fare la guardia, stringendo un sasso nella zampa in modo da svegliarsi per il rumore se l'avesse lasciato cadere addormentandosi. Questa è un'immagine piuttosto comune nell'araldica e ha un ruolo di primo piano nel disegno di Raffaello per l'arazzo *La pesca miracolosa* (1515), commissionatogli per la Cappella Sistina a Roma.

Gli origami a forma di gru in Giappone sono un simbolo di pace. Questo significato deriva dalla storia di Sadako Sasaki, che nel 1945, a due anni, fu vittima del bombardamento nucleare su Hiroshima; esposta alle radiazioni, contrasse la leucemia e infine morì a dodici anni. Negli ultimi mesi di vita fece mille gru di carta, poiché così facendo, secondo una leggenda giapponese raccontatale dal padre, un suo desiderio si sarebbe avverato.

ALTRE OPERE IMPORTANTI

Imperatore Huizong (attr.), *Gru beneauguranti*, ca. 1112, Shenyang, Liaoning Provincial Museum

Gru, dal Bestiario di Edward Harley, XIII sec., Londra, The British Library

Domenico Beccafumi, *Venere e Cupido*, ca. 1530, New Orleans, New Orleans Museum of Art

Sadako Sasaki, *Gru di carta*, 1955, Hiroshima, Hiroshima Peace Memorial Museum

ANIMALI

-

**Il simbolo è la chiave di un regno
ben più grande del simbolo stesso
e dell'uomo che ne fa uso.**

-

Jean Campbell Cooper
1978

GATTO

Il gatto che gioca sotto il tavolo con un uccellino ferito nel *Risveglio della coscienza* è il più significativo dei molti simboli che si celano nel dipinto, perché rivela in piccolo il significato complessivo della scena. Ci troviamo in un soggiorno alla moda, in cui una coppia non sposata sta vivendo un momento di intimità: un'ambientazione moderna per un peccato antico come il mondo. In questo caso le convenzioni relative a questo tipo di scena vengono però ribaltate, perché la donna ha in mano il proprio destino. Rendendosi conto del suo errore, si alza e si allontana dall'amante: è come se per la prima volta contemplasse la bellezza e la semplicità nella natura rigogliosa del giardino, visibile allo spettatore nel grande **specchio** sullo sfondo. Il gatto è la manifestazione delle losche intenzioni dell'uomo.

Dopo l'esposizione del *Risveglio della coscienza* alla Royal Academy nel 1854, il famoso critico d'arte John Ruskin scrisse al "Times", irritato perché gran parte del pubblico non ne aveva compreso la simbologia nascosta, e provvide a spiegare molti dei simboli, fra cui il gatto, la tappezzeria decorata con rapaci che mangiano grano mentre Cupido, il dio dell'amore, dorme, e i bianchi fiori del giardino, che esprimono il richiamo alla purezza avvertito dalla donna. La caratterizzazione del gatto come predatore dagli occhi selvaggi non è insolita nell'arte occidentale: spesso i gatti venivano associati agli inganni del demonio, alle streghe e alla sfortuna. Nell'*Ultima Cena* di Domenico Ghirlandaio (1480) nel convento di San Marco a Firenze, per esempio, un gatto

William Holman Hunt
Il risveglio della coscienza,
1853
Olio su tela, 76 x 56 cm
Londra, Tate

Hunt espose questo dipinto alla Royal Academy insieme alla *Luce del mondo*, in cui era raffigurato Gesù che bussava a una porta chiusa. Le due opere, viste insieme, esprimevano aspetti della morale cristiana e i simboli erano parte integrante dello stile di comunicazione di Hunt.

Statuetta di gatto,
332-30 a.C.
Bronzo piombato,
32 x 11,9 x 23,3 cm
New York, Metropolitan
Museum of Art

Nei templi egizi dedicati alla dea Bastet sono state trovate moltissime statuette come questa, ognuna delle quali serviva a contenere un gatto mummificato. Un piccolo foro all'orecchio sinistro mostra che in origine il gatto indossava un orecchino d'oro.

è raffigurato accanto a Giuda, per sottolinearne la natura malvagia. I gatti non vengono nominati neanche una volta nella Bibbia.

In altre culture i gatti non sono così vituperati. In Cina sono collegati alla guarigione e alla chiaroveggenza (anche se molte leggende parlano di gatti demoniaci che depredavano le vittime di ricchezze e proprietà). Nell'antico Egitto avevano una posizione particolarmente importante ed erano rappresentati come divinità. La principale divinità dall'aspetto di gatto era Bastet, venerata come protettrice materna e spesso raffigurata nell'atto di uccidere Apopi, il dio **serpente** dell'aldilà. Si pensa che i gatti siano stati addomesticati per la prima volta nell'antico Egitto (e nella Mezzaluna Fertile) e che la loro utilità come sterminatori di animali infestanti abbia portato a venerarli come difensori contro il caos. Questa elegante statuetta felina probabilmente conteneva un gatto domestico mummificato, lasciato come offerta da una famiglia in un tempio di Bastet. Probabilmente un tempo era adorna di gioielli autentici e di un collare inciso con l'**Occhio** di Horus.

ALTRE OPERE IMPORTANTI

Gatto con quaglia, mosaico, ca. 2 d.C., Napoli,
    Museo Archeologico Nazionale
Hendrick Goltzius, *La caduta dell'uomo*, 1616, Washington,
    National Gallery
Édouard Manet, *Olympia*, 1863, Parigi, Musée d'Orsay
Théophile Steinlen, *Il gatto nero*, 1896, Amsterdam,
    Van Gogh Museum

CERVO

Al pari delle **gru**, generalmente i cervi nell'arte vengono rappresentati come creature mistiche ed eteree. In Giappone sono venerati fin dalla preistoria, come conferma il cervo con specchio sacro dei cinque Kasuga Honji-butsu sorretto da **nuvole** celestiali. La scultura era stata creata come offerta per il santuario Kasuga a Nara, nel Giappone meridionale. Non lontano dal santuario c'è il Monte Mikasa, dove secondo la leggenda il dio Takemikazuchi-no-Mikoto era stato trasportato da un cervo celestiale. I cervi reali che vivono nel parco del santuario Kasuga sono protetti come creature divine e possono tuttora aggirarsi liberamente dappertutto. In questa scultura compaiono diversi oggetti sacri, fra cui un albero *sakaki* e uno specchio con cinque versioni buddiste degli dèi shintoisti. Il buddismo fu introdotto in Giappone dalla Cina intorno al IX secolo dopo Cristo e la scultura documenta l'interfaccia fra le credenze locali e quelle importate.

Nella mitologia greco-romana i cervi sono leggiadri accompagnatori oppure vittime eleganti di potenti padroni. La dea della caccia Artemide/Diana era associata a un cervo e la punizione inflitta ad Atteone per averla inavvertitamente vista mentre si rinfrescava nell'acqua era stata quella di trasformarlo in cervo e di farlo divorare dai suoi **cani** da caccia. Anche Afrodite/Venere,

Cervo con specchio sacro dei cinque Kasuga Honji-butsu, ca. XIV sec. Bronzo dorato, h. 116 cm Osaka, Hosomi Museum

In quanto opera d'arte, questa scultura comunica una potente sensazione di presenza: l'impegno dell'artista nel rendere l'accuratezza anatomica nasce da un profondo rispetto per la natura ispirato dalla religione.

Atena/Minerva e Apollo sono stati associati ai cervi in vari momenti per il loro ruolo di cacciatori.

In *Gibboni e cervi* la funzione degli animali è piuttosto diversa dalla maggior parte degli altri esempi presenti in questo libro. Il dipinto nel suo insieme è un vero e proprio rebus: un enigma in cui le parole legate alle varie immagini, pronunciate in sequenza, formano un'altra parola o una frase. In cinese la parola che indica i gibboni suona come "primo" e quella che indica i cervi suona come "potere". Il quadro veniva quindi riconosciuto come un messaggio di buon augurio per l'esito degli esami da funzionario pubblico, in cui il primo posto portava ricchezza e autorità.

Gibboni e cervi (Cina),
1127-1279
Pagina d'album, inchiostro
e colore su seta,
17,8 x 22,2 cm
New York, Metropolitan
Museum of Art

**Gli animali in questo
manoscritto cinese non
sono simbolici in senso
stretto, ma piuttosto
elementi di un enigma
con un significato preciso.**

ALTRE OPERE IMPORTANTI

Pittura rupestre di megalocero, ca. 16.000-14.000 a.C., Lascaux
Pisanello, *La visione di sant'Eustachio*, 1438-42, Londra,
    National Gallery
Tiziano, *La morte di Atteone*, 1559-75, Londra, National Gallery
Frida Kahlo, *Il cervo ferito*, 1946, Houston, Carolyn Farb
    Collection

CANE

L'atteggiamento contemporaneo nei confronti dei cani rispecchia quello degli antichi greci e romani. Allora come oggi i cani godevano di alta considerazione, ma in modo molto diverso dagli altri animali presenti in questo libro, in quanto appartenevano al padrone. Di conseguenza nell'arte vengono rappresentati come animali domestici fedeli e adorati, protettori della proprietà ed eccellenti compagni di caccia grazie all'acutezza della vista e dell'olfatto, in netto contrasto con l'atteggiamento degli antichi greci verso i **gatti**, che non venivano considerati animali da compagnia né in generale godevano di particolare stima. Diversi cacciatori mitologici, come Orione e Artemide/Diana, avevano dei cani. Ai cani si attribuiva la qualità dell'intelligenza, lodata per esempio da Platone, ed erano considerati creature capaci di fedeltà e di sentimenti simili a quelli umani. Molti proprietari di cani, fra cui l'eroe omerico Odisseo, avevano dato loro nomi umani.

A volta i cani venivano associati alla magia e alla guarigione, poiché si riteneva che le loro leccate curassero le infezioni. Asclepio, l'antico dio greco della medicina, a volte veniva rappresentato con un accompagnatore canino. Si credeva inoltre che un cane fedele avrebbe seguito il proprietario anche oltre la morte e in Grecia ci sono tracce di cani seppelliti con i padroni già a partire dall'Età del Ferro. Nelle sculture tombali risalenti a periodi successivi della storia greca a volte sono presenti cani molto amati e nella mitologia greco-romana il guardiano del regno dei morti era un cane a tre teste chiamato Cerbero. Queste credenze provenivano da religioni mediorientali più antiche: l'antica dea guaritrice babilonese, Gula, veniva rappresentata con un cane e a volte ne assumeva la forma. Inoltre gli zoroastriani anticiparono la credenza greca che i cani accompagnassero i padroni nell'aldilà e il dio egizio Anubi dalla testa di cane controllava e giudicava le anime dei trapassati.

È importante notare, tuttavia, che i cani non hanno mai goduto di associazioni positive univoche e che talvolta erano considerati dai filosofi, fra cui Aristotele, come esseri reietti e dissoluti. Certamente in Medio Oriente erano visti come paria, e da qui deriva l'atteggiamento della Bibbia nei confronti dei cani, che è

Paolo Veronese
Unione felice, dalla serie
Allegorie dell'amore,
ca. 1575
Olio su tela,
187,4 x 186,7 cm
Londra, National Gallery

Nell'angolo in basso a
destra un putto comincia
ad allacciare la catena
d'oro del matrimonio
intorno alla coppia,
mentre accanto a lui
un cane si inclina
all'indietro con grazia.
Come innumerevoli altri
cani in rappresentazioni
europee di coppie
precedenti e successive
a questa, il cane
simboleggia la fedeltà
coniugale.

generalmente negativo. Nell'*Apocalisse* (22:15) vengono associati agli impuri e agli ignoranti: "Fuori i cani, i maghi, gli immorali, gli omicidi, gli idolatri e chiunque ama e pratica la menzogna!" I cani dunque possono essere simboli dei livelli più elevati come dei più abietti dell'esistenza.

Nell'*Unione felice* del Veronese – probabilmente dipinta a Venezia intorno al 1575 – compare un cane come simbolo di fedeltà, quindi nella sua accezione più positiva. Il quadro appartiene a una serie di quattro dipinti oggi noti come *Allegorie dell'amore*, che si pensa rappresentino quattro aspetti dell'innamoramento: *Infedeltà*, *Disinganno*, *Rispetto* e *Unione felice*. In questi quadri l'artista usa un'iconografia tratta dai repertori di simboli rinascimentali, chiamati *emblemata*. Nella versione di Andrea Alciato del 1531, l'immagine della "fedeltà della moglie" mostra ai piedi della coppia un cucciolo che incarna la visione greco-romana dei cani come simboli di fedeltà. Durante la creazione dell'*Unione felice* Veronese aveva chiaramente consultato uno di quei repertori, perché il quadro contiene diverse immagini allegoriche. Sembra infatti rappresentare l'ideale del matrimonio come alleanza capace di elevare e di portare prosperità: la scena è dominata dalla *Fortuna* seduta su una sfera che rappresenta il mondo e a lato si vede una cornucopia (un "corno dell'abbondanza"). La Fortuna porge alla coppia devota una **corona** beneaugurante di mirto e un ramo di ulivo della pace. Per Veronese, che era interessato all'osservazione e alla rappresentazione della vita tanto quanto era esperto delle astrazioni dell'iconografia, il cane è più di un semplice simbolo, perché si comporta come un cane reale e guarda il venerando ramo di ulivo come se fosse soltanto un oggetto da riportare al padrone dopo un lancio.

ALTRE OPERE IMPORTANTI

Cane meccanico (Egitto), 1390-1353 a.C., New York, Metropolitan Museum of Art

Piero di Cosimo, *Satiro che piange la morte di una ninfa*, ca. 1495, Londra, National Gallery

Xolotl (civiltà azteca), dal Codice Borgia, ca. 1500, Città del Vaticano, Collezioni Vaticane

Antoon van Dyck, *Ritratto dei cinque figli maggiori di Carlo I*, 1637, Windsor, The Royal Collection

Cave canem (Pompei),
I sec. a.C.
Mosaico, 70 x 70 cm
Napoli, Museo
Archeologico Nazionale

Non tutte le civiltà
amavano i cani,
ma gli antichi romani
li tenevano come animali
da compagnia e li
trattavano come membri
della famiglia e come
guardiani della proprietà.
Questo mosaico fu
creato per il pavimento
dell'ingresso della Casa
di Orfeo a Pompei.

PESCE

Nelle antiche raffigurazioni religiose in Mesopotamia e in Egitto
i pesci comparivano come simboli di fertilità e rigenerazione, insieme
alle **conchiglie** e all'**acqua**. I pesci sono molto presenti nella Bibbia,
innanzitutto nel famoso episodio dei pani e dei pesci, e sono
anche associati alla cerimonia di rigenerazione del battesimo.
Il simbolo *ichthys* a forma di pesce è quindi diventato quasi un logo
del cristianesimo.

La storia fantastica e calamitosa di *Giona e la balena* è un altro
esempio di connessione fra pesci e rinascita; è narrata nell'Antico
Testamento e nel Corano. Si racconta che Giona venne inghiottito
da un enorme pesce (chiamato a volte "balena" nelle traduzioni)
dopo aver disubbidito alla parola di Dio. Per tre giorni e tre notti
Giona sopravvisse nel ventre del pesce prima che Dio ascoltasse
le sue preghiere e lo perdonasse, facendolo vomitare dall'animale
su una spiaggia vicina. Questa storia viene solitamente interpretata
come un racconto di redenzione e rinnovamento spirituale: Giona
era poi diventato un fedele servitore di Dio. Nell'immagine, le parole
"IL DISCO DEL SOLE SI È OSCURATO, GIONA È ENTRATO
NELLA BOCCA DI UN PESCE" sono impresse sulle braccia
di Giona come un tatuaggio. I dettagli della storia utilizzati in questa
rappresentazione vengono probabilmente da un compendio di storie

Giona e la balena,
dal *Jami' al-tawarikh*,
ca. 1400
Inchiostro, acquerello
opaco e oro,
33,7 x 49,5 cm
New York, Metropolitan
Museum of Art

**In questo dipinto Giona
riceve con gratitudine
alcuni vestiti da un angelo
disceso dal cielo.**

dal mondo chiamato *Jami' al-tawarikh*, scritto da Rashid al-Din Hamadani, uno studioso della corte di Il-Khanid a Tabriz (oggi in Iran). Tuttavia le caratteristiche dello stile richiamano influenze internazionali. Il pesce di Giona è rappresentato come una carpa, simbolo molto diffuso in Cina (dove veniva associata con ricchezza e perseveranza), così come i **draghi** e le **fenici** che compaiono anche nell'arte persiana dello stesso periodo. Attraverso le vie commerciali dell'Eurasia non si scambiavano soltanto merci, ma anche i linguaggi dei simboli.

ALTRE OPERE IMPORTANTI
Sigillo di Adda (Mesopotamia), 2300 a.C., Londra, British Museum
Masaccio, *Il pagamento del tributo*, ca. 1424-27, Firenze, Santa Maria del Carmine, Cappella Brancacci
Diego Velázquez, *Cristo in casa di Marta e Maria*, prob. 1618, Londra, National Gallery
Gong Gu, *Carpa* (Cina), XIX sec., New York, Metropolitan Museum of Art

LEONE

Fra i molti significati simbolici assunti dal leone nel corso della storia il più comune è quello di guardiano ed emblema di autorità. Leoni scolpiti si trovano all'ingresso di templi in Mesopotamia ed Egitto, e il re Assurbanipal dell'impero neo-assiro ordinò la realizzazione di molti bassorilievi che immortalavano nel dettaglio la sua abilità nel cacciarli (si veda la caccia ai leoni a p. 140). I leoni erano elementi fondamentali nell'iconografia di molte religioni, fra cui l'antico culto di Mitra, e nell'induismo spesso venivano rappresentanti come belve vendicative. Nella Bibbia i leoni vengono menzionati di frequente e sono associati a diversi santi, fra cui san Marco. Divennero anche un elemento figurativo fondamentale nell'arte buddista, come si può vedere ad esempio nel capitello con i leoni del pilastro di Ashoka. La diffusione di questa religione nel corso del primo millennio portò l'immagine dei leoni verso est, introducendola nell'iconografia cinese, da cui poi venne ancora esportata in modo sempre più stilizzato nel resto dell'Asia orientale.

Il capitello con leoni del pilastro di Ashoka viene da Sarnath, in India, luogo della prima predicazione del Buddha e parco dedicato ai **cervi**. A Sarnath il Buddha annunciò le Quattro Nobili Verità che aveva compreso grazie alla meditazione: la verità della sofferenza, la verità dell'origine della sofferenza, la verità della cessazione della sofferenza e la verità della via che porta alla cessazione della sofferenza. Il capitello con leoni un tempo si trovava in cima a un pilastro posto là da Ashoka, l'imperatore indiano convertito al buddismo. È di fondamentale importanza per l'identità nazionale indiana.

I quattro leoni vogliono simboleggiare coraggio e potere, si riferiscono al Buddha e potrebbero anche essere un emblema di Ashoka. Al di sotto dei leoni ci sono altri simboli: quattro animali (leone, bue, elefante e **cavallo**) che fanno girare le ruote del Dharma (*dharmachakra*). Alla base del capitello c'è un fiore di **loto**. Il capitello fu adottato come simbolo nazionale dell'India nel 1950 e la ruota del Dharma a 24 raggi figura al centro della bandiera indiana.

Capitello con leoni, pilastro di Ashoka (Sarnath), ca. 250 a.C. Arenaria polita, 210 x 283 cm Sarnath (Varanasi), Museo Archeologico

Le bocche dei leoni sono aperte per rappresentare la trasmissione delle Quattro Nobili Verità del Buddha verso i quattro punti cardinali.

ALTRE OPERE IMPORTANTI

Ren Keli, *Il leone e il suo guardiano* (Cina), 1480-1500, Londra, British Museum

Albrecht Dürer, *San Girolamo penitente*, ca. 1496, Londra, National Gallery

Tiziano, *Allegoria della prudenza*, 1550-65, Londra, National Gallery

Henri Rousseau, *Il pasto del leone*, ca. 1907, New York, Metropolitan Museum of Art

SCIMMIA

In molte culture del pianeta, compresa quella giapponese, quella azteca e quella cinese, le scimmie incarnano l'inganno e la malignità. Nell'induismo il dio scimmia Hanuman è uno stimato membro del pantheon, ma nell'arte occidentale le scimmie sono spesso mostrate sotto una luce negativa, come allegorie di contraffazione, vanità o lussuria. Ne è un esempio la scena centrale del *Fregio di Beethoven* di Gustav Klimt, dove una scimmia simboleggia i vizi più bassi e depravati degli esseri umani.

Nel suo complesso il *Fregio di Beethoven* è un omaggio alla conquista più alta dell'umanità: la musica di Ludwig van Beethoven. È una *summa* visiva dell'opera del compositore e fa parte di un *Gesamtkunstwerk*, un'opera d'arte totale che doveva riunire architettura, musica, pittura e scultura in un'esperienza totalizzante. Riutilizzava elementi del folklore e della mitologia classica per creare un racconto allegorico del viaggio dell'umanità dalla sofferenza

Gustav Klimt
Fregio di Beethoven, 1902
Oro, grafite e tempera
alla caseina,
215 x 3400 cm
Vienna, Wiener
Secessionsgebäude

**La scimmia nel dipinto
di Klimt voleva
simboleggiare i desideri
oscuri e malvagi
dell'animo umano.**

96

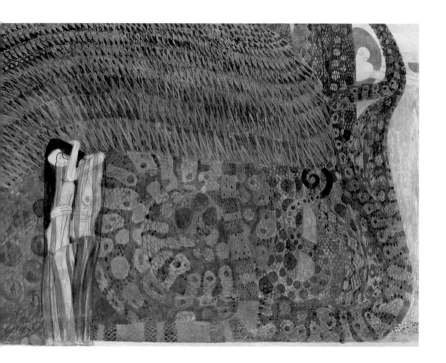

all'illuminazione, sotto la protezione di un cavaliere errante. Al momento dell'inaugurazione, avvenuta a Vienna nel 1902, i visitatori potevano acquistare un catalogo che spiegava ogni simbolo presente nel dipinto. La scena centrale, che rappresentava diversi istinti umani vili che dovevano essere dominati dalla nobiltà d'animo, veniva spiegata così:

"Parete corta: le forze ostili. Il gigante Tifeo, contro il quale anche gli dèi lottarono invano; le sue figlie, le tre Gorgoni. Malattia, follia e morte. Voluttà, lascivia, incontinenza. Dolore struggente. Gli aneliti, i desideri degli uomini volano al di sopra di tutto".

Tifeo qui è raffigurato come una gigantesca scimmia, con le Gorgoni sulla sinistra (Morte, Malattia e Follia) e le altre figure sulla destra. Tifeo era un mostro della mitologia greco-romana, ma solitamente veniva rappresentato come un **serpente**. La decisione di Klimt di crearne una versione scimmiesca potrebbe essere derivata dalle teorie evoluzionistiche di Charles Darwin, pubblicate nel 1859 nell'*Origine delle specie*, e dalla concezione che il confine fra esseri umani e animali non poteva più essere considerato netto o assoluto.

L'opera *African Adventure* era stata inizialmente commissionata come installazione ad hoc per una ex mensa ufficiali dell'esercito inglese a Città del Capo. Il titolo veniva da un'agenzia di viaggi sudafricana. L'opera è in se stessa una vacanza distorta nell'identità sudafricana. Il lavoro di Jane Alexander non corrisponde alle tradizioni iconografiche relative agli animali nella storia dell'arte e il suo linguaggio visivo disorientante serve a riflettere l'etica rovesciata e la brutalità della storia coloniale del Sudafrica e dell'apartheid.

ALTRE OPERE IMPORTANTI

Hanuman in conversazione (India), XI sec., New York,
   Metropolitan Museum of Art
Paolo Veronese, *La famiglia di Dario ai piedi di Alessandro,*
   1565-67, Londra, National Gallery
Frida Kahlo, *Autoritratto con scimmia*, 1938, Buffalo,
   Albright-Knox Art Gallery
Guerrilla Girls, *Do Women Have to Be Naked to Get into the Met.
   Museum?*, 1989, Londra, Tate

Jane Alexander
African Adventure,
1999-2002
Materiali misti e sabbia
del bush, ca.
4 x 9 m
Londra, Tate

In questo mondo
a rovescio abitano
dei mutanti, ad alcuni
dei quali l'artista
ha assegnato un nome;
in primo piano c'è
una figura sinistra
e minacciosa dalla testa
di scimmia chiamata
"Messaggero".

SERPENTE

Per molti dei simboli in questo libro il significato cambia in base al contesto: un elemento può rimandare a una specifica qualità in una cultura e a quella opposta in un'altra. In luoghi e periodi diversi, i serpenti sono stati simboli dell'eternità, dell'aldilà, della divinazione, della salute, della morte, della rigenerazione, del peccato, della fecondità, della protezione, della regalità, della divinità e del diavolo.

Il serpente a due teste del British Museum è probabilmente una rappresentazione del dio serpente azteco chiamato Quetzalcoatl. Nella cultura azteca i serpenti rivestivano un fascino particolare. Il fatto che periodicamente cambiassero pelle portò ad associarli con i concetti di rinnovamento e fertilità, inoltre la loro capacità di vivere sia sulla terraferma che in acqua conferiva loro un potere mistico, capace di travalicare i confini. Questa condizione ibrida fu elaborata nella credenza che Quetzalcoatl possedesse anche aspetti aviari che lo collegavano al cielo, e infatti è rappresentato come un serpente piumato.

Nel cristianesimo generalmente il serpente rappresenta la creatura che tentò Eva inducendola a mangiare il frutto della conoscenza del bene e del male nel Giardino dell'Eden, e per questo simboleggia il peccato e Satana. Un manifesto del 1900 per il sanatorio del dottor Abreu a Barcellona si rifà a questa immagine per rivolgersi ai malati di sifilide, che all'epoca in Europa era endemica e non completamente curabile. La *femme fatale* della pubblicità – un'allegoria non troppo sottile della malattia venerea – porge un **giglio** di purezza, ma cela un serpente dietro la schiena. Anche le parole in basso sono scritte con caratteri serpentini.

Serpente a due teste (Messico), XV-XVI sec. Legno di cedrella, turchese, resina di pino, guscio d'ostrica, ematite e coppale, 20,5 x 43,3 x 6,5 cm Londra, British Museum

Le tessere di turchese smussate e disposte a mosaico sul *Serpente a due teste* sono state lucidate per riprodurre il colore del cielo, oltre all'aspetto delle squame. È possibile che questo serpente fosse portato al collo come pettorale da un sacerdote o da un sovrano.

ALTRE OPERE IMPORTANTI

Agesandro, Atanadoro e Polidoro di Rodi, *Laocoonte e i suoi figli*,
 inizio del I sec. d.C., Città del Vaticano, Musei Vaticani

Lucas Cranach il Vecchio, *Adamo ed Eva*, 1526, Londra,
 The Courtauld Gallery

Caravaggio, *Medusa*, 1597, Firenze, Galleria degli Uffizi

Giovanni Battista Tiepolo, *L'Immacolata concezione*, 1767-69,
 Madrid, Prado

Ramón Casas
Manifesto pubblicitario
del sanatorio per sifilitici
del dottor Abreu
(Barcellona), ca. 1900
Litografia a colori,
66,3 x 28,2 cm
Londra, Wellcome
Collection

**I serpenti come simboli
del male abbondano
nell'arte cristiana.
Qui tale associazione
convenzionale viene
utilizzata in un contesto
diverso per suggerire
il carattere maligno
delle malattie veneree.**

CAVALLO

Si pensa che i cavalli siano stati addomesticati per la prima volta dagli esseri umani nelle steppe dell'Ucraina e del Kazakistan fra il 4500 e il 3500 a.C. La capacità di cavalcare rivoluzionò gli spostamenti umani, l'allevamento, il trasporto di merci, la caccia e le tecniche di combattimento. Probabilmente per questo ai cavalli nell'arte viene attribuito tanto prestigio e potere simbolico. Destrieri semidivini compaiono nella *R̥gveda* (una raccolta indiana, risalente al 1500 a.C. circa, che contiene le prime storie religiose scritte) e i cavalli furono venerati in molte mitologie successive, tra cui quella celtica, quella norrena e quella greco-romana. Fin da allora sono associati a un'alta posizione sociale, al valore militare e ai trionfi sportivi.

Nel 1800 Napoleone Bonaparte, da poco nominato primo console di Francia, condusse il proprio esercito al di là delle Alpi per combattere contro gli austriaci a Marengo. La vittoria francese e il trionfo militare di Napoleone furono celebrati un anno dopo in un grande ritratto dipinto da Jacques-Louis David. La concezione dell'opera però non fu interamente dell'artista, dato che Napoleone stesso aveva chiesto di essere rappresentato "in atteggiamento calmo su un cavallo impennato", mentre guidava le truppe verso un destino glorioso, piuttosto che in mezzo alla battaglia.

La scelta di un ritratto equestre aveva un profondo significato simbolico. Innumerevoli eroi e condottieri dell'antichità, come Alessandro Magno e Marco Aurelio, erano stati rappresentati a cavallo per comunicare il loro potere di controllo: la forza irrefrenabile domata dal sovrano inamovibile. Ai tempi di Napoleone i cavalli di razza erano ancora considerati prestigiosi doni diplomatici da scambiare fra governanti delle nazioni.

Interessante notare come in un contesto asiatico, e più di mille

Jacques-Louis David
*Napoleone che attraversa
le Alpi*, 1801-02
Olio su tela, 261 × 221 cm
Rueil-Malmaison,
Château de Malmaison

Nel dipinto di David,
il destriero di Napoleone
è come una molla carica
di potenza, totalmente sotto
il controllo del suo cavaliere,
sicuro di sé, che sprona i propri
uomini verso l'alto destino
che li attende. Storicamente,
questo episodio non è mai
accaduto: Napoleone superò
effettivamente le Alpi
nel 1800, ma lo fece
nella retroguardia, a cavallo
di un mulo.

anni prima, *il Cavallo bianco che brilla nella notte* comunicasse un
messaggio simile, anche se il soggetto del ritratto in questo caso è
il cavallo, non il cavaliere. L'imperatore cinese Xuanzong (685-762
d.C.), il cui regno fu il più lungo della dinastia Tang, era appassionato
di cavalli da guerra, che importava da luoghi lontani come l'Arabia
e l'Asia centrale: questo bianco destriero era il suo preferito.
La superiorità di questi destrieri rispetto ai pony locali, più piccoli
e deboli, li rese simboli di potere elitario e delle meraviglie esotiche
che si potevano trovare ai confini del mondo conosciuto, grazie
agli estesi commerci internazionali dell'impero cinese. I cavalli
non ispirarono soltanto dipinti ma anche sculture e perfino poemi,
commissionati in loro onore dai maggiorenti cinesi più appassionati.

ALTRE OPERE IMPORTANTI

Fidia e collaboratori, Fregio del Partenone, 438-432 a.C., Londra,
British Museum

Placca con Oba a cavallo e attendenti (Regno del Benin, oggi
Nigeria), 1550-1680, New York, Metropolitan Museum of Art

George Stubbs, *Whistlejacket*, ca. 1762, Londra, National Gallery

Vasilij Kandinskij, *La montagna blu*, 1908-09, New York,
Guggenheim Museum

Han Gan
Cavallo bianco che brilla
nella notte, ca. 750 d.C.
Rotolo disteso, inchiostro
su carta, 30,8 x 34 cm
New York, Metropolitan
Museum of Art

Si credeva che questi
cavalli da guerra
importati incarnassero
in modo particolare
il principio maschile *yang*
e simboleggiassero
il dinamismo latente della
natura. Di conseguenza
si sviluppò una mitologia
secondo cui erano draghi
sotto mentite spoglie
e sudavano sangue.

DRAGO

I draghi sono da lunghissimo tempo un simbolo pervasivo in Cina. Erano già presenti nell'arte arcaica, ma la loro forma più riconoscibile (ben presentata nella veste dell'imperatore cinese a p. 28) fu stabilita intorno al I secolo a.C., molto probabilmente adattandola dall'arte figurativa tribale delle steppe, importata durante il primo millennio a.C. Nel corso del tempo l'animale mitico venne associato con il cielo, con le **nuvole** portatrici di pioggia e con eventi soprannaturali fortunati. Uno di questi, descritto nelle cronache di storia cinese del I secolo a.C., descrive la nascita di Gaozu, uno dei più illustri imperatori della Cina, fondatore della dinastia Han. Secondo il testo, la madre di Gaozu

"un giorno riposava sulla riva di un grande stagno, quando sognò di incontrare un dio. In quel momento il cielo si oscurò e fu invaso da tuoni e fulmini. Quando il padre di Gaozu andò a cercarla, vide un drago coperto di scaglie sopra il punto dove era distesa. Dopo questo episodio essa restò incinta e diede alla luce Gaozu".

I draghi compaiono anche nella cosmologia cinese (diversa da quella buddista illustrata nel mandala cosmologico di p. 49); fra i quattro punti cardinali c'è il drago azzurro, connesso all'est. Al centro (il quinto punto cardinale) c'è il drago giallo: da qui nasce l'associazione con l'imperatore stesso. Il drago è il simbolo personale dell'imperatore, mentre quello dell'imperatrice è la **fenice**. Il drago dell'imperatore si riconosce dai cinque artigli delle zampe, mentre quelli rappresentati negli stemmi dei cortigiani meno importanti ne hanno quattro o tre. Come il **cavallo**, il drago corrisponde alla forza

Qasim ibn' Ali
Terza impresa di Isfandiyar, che uccide un drago, dallo *Shāh-Nāmeh* di Shah Tahmasp, ca. 1530
Acquerello opaco, inchiostro, argento e oro su carta, 27,9 x 26,2 cm
New York, Metropolitan Museum of Art

Dipinta alla corte dei Safavidi, in Iran, questa immagine contiene un drago influenzato dallo stile dell'arte cinese, anche se gli manca la benevolenza normalmente associata ai draghi orientali.

maschile *yang*, ed è spesso rappresentato insieme alla fenice
(il principio femminile *yin*) per indicare l'equilibrio.

I draghi in stile cinese, con i loro significati legati all'autorità
imperiale e alla ricchezza, finirono per diffondersi anche nel
linguaggio simbolico dei territori circostanti, come la Corea e il
Giappone.

Durante la dinastia Yuan (1271-1368) vennero consolidate le
vie commerciali per gli scambi fra la Cina e il resto dell'Asia. Di
conseguenza la cultura visiva persiana cominciò a incorporare
svariate immagini cinesi, come si può vedere in *Giona e la balena*
(p. 93), e nella *Terza impresa di Isfandiyar, che uccide un drago*,
episodio di un poema epico persiano chiamato *Shāh-Nāmeh*
(*Libro dei Re*). Qui vediamo la terza delle sette imprese che il
principe Isfandiyar dovette affrontare: uccidere un drago malvagio
combattendolo da dentro una cassa montata su un cocchio. Il drago
dalle lunghe zanne, ribollente di energia *yang*, potrebbe essere stato
influenzato da esempi presenti sulle porcellane o nei dipinti cinesi,
ma il suo carattere qui è molto diverso: nel contesto dello *Shāh-Nāmeh* è diventato un simbolo di malvagità.

Nel cristianesimo, il drago (come il serpente) è anche un simbolo
del peccato e di Satana stesso. È molto comune vedere draghi
sterminati da san Giorgio e dall'Arcangelo Michele nelle scene
allegoriche del male sottomesso dalla virtù. In un mito greco-romano più antico anche Perseo era uno sterminatore di draghi
e un possibile modello ispiratore per i santi cristiani successivi.

Nel *Grande drago rosso e la donna vestita di sole* di William Blake
si vede una scena dell'*Apocalisse*, descritta ingegnosamente
dal punto di vista del drago. Il mostro di Blake deve molto
alle rappresentazioni dei draghi dell'Europa medievale (anche se qui
il drago è innestato su un torso muscoloso ispirato a Michelangelo),
che sono essenzialmente demoni con ali e corna, come nell'opera
di Bartolomé Bermejo *San Michele trionfa sul demonio* (p. 153).

William Blake
*Il grande drago rosso
e la donna vestita di sole*
(*Apocalisse 12:1-4*),
1803-05
Inchiostro nero
e acquerello su tracce
di grafite e linee incise,
43,7 x 34,8 cm
New York, Brooklyn
Museum of Art

**Questo dipinto dimostra
l'anticonformismo
artistico di Blake:
all'epoca gli artisti
solitamente evitavano
di rappresentare
i bizzarri eventi descritti
nell'*Apocalisse*
di Giovanni (come fece
Blake), preferendo
eventualmente
mostrare l'autore
nell'atto di scriverla.**

ALTRE OPERE IMPORTANTI

Paolo Uccello, *San Giorgio e il drago*, ca. 1470, Londra,
  National Gallery
Salomone in trono circondato dalla sua corte (Islam),
  fine XVIII sec., Londra, British Museum
Utagawa Kuniyoshi, *La principessa Tamatori sfugge al re drago*
  (Giappone), metà del XIX sec., Londra, British Museum
Sir Edward Burne-Jones, *Il destino compiuto*, 1888, Southampton,
  Southampton City Art Gallery

CORPI

-

**Noi siamo simboli
e viviamo in simboli.**

-

Ralph Waldo Emerson
1844

SCHELETRO

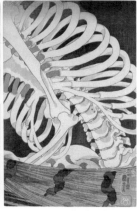

Utagawa Kuniyoshi probabilmente vide la storia di *Mitsukuni che sconfigge lo scheletro-spettro* in uno spettacolo di teatro *kabuki* nel 1844, anche se in realtà era l'adattamento di un romanzo giapponese del 1807. La storia è questa: in seguito a una ribellione contro il suo dominio avvenuta nel 939 d.C., l'imperatore giapponese ordinò a un guerriero di nome Ōya no Mitsukuni di rintracciare e giustiziare tutti i cospiratori rimasti. Mitsukuni viaggiò fino al palazzo di Sōma, rifugio della figlia del capo dei ribelli, la principessa Takiyasha. All'insaputa di Mitsukuni, però, la principessa aveva appreso le arti magiche da un eremita locale. Leggendo un incantesimo da un antico rotolo evocò i fantasmi dei ribelli e li fuse in un enorme scheletro che assalì l'intrepido Mitsukuni, il quale alla fine ne uscì vittorioso.

L'immagine dello scheletro può sembrare un simbolo universale e senza tempo legato al macabro e alla morte, ma in realtà gli scheletri non si stabilizzarono nella cultura visiva giapponese prima del XVIII secolo. È possibile che sia successo soltanto dopo l'introduzione da parte dei mercanti olandesi dei libri di medicina europei, con le loro dettagliate illustrazioni anatomiche dei cadaveri.

Nonostante fossero usati già da tempo come simboli nell'arte indiana, gli scheletri come rappresentazioni della morte comparvero nell'arte europea soltanto nel periodo tardo-medievale, in particolare

Utagawa Kuniyoshi
Mitsukuni sconfigge lo scheletro-spettro, ca. 1845
Trittico di xilografie a colori, 35,9 x 74,2 cm
San Francisco, Fine Arts Museum of San Francisco

In questo dipinto creato in Giappone lo scheletro assolve al suo consueto ruolo di messaggero di morte. La rappresentazione dettagliata e anatomicamente realistica di Kuniyoshi sembra ispirata a illustrazioni scientifiche di testi medici europei.

nelle scene di danze macabre in cui gli scheletri volteggiavano con i cittadini e li conducevano alla tomba. Gli scheletri sono anche molto presenti nelle celebrazioni messicane del Giorno dei Morti, quando secondo la tradizione le anime dei morti si mescolano ai vivi.

Quel che l'acqua mi ha dato dell'artista messicana Frida Kahlo mostra uno scheletro solitario seduto su un'isola accanto a un vulcano (in mezzo a un gran numero di insetti, piante, persone e animali) nella parte bassa della vasca da bagno dell'artista. Oltre ad alludere probabilmente al Giorno dei Morti e alle immagini di scheletri rese popolari da José Guadalupe Posada, lo scheletro potrebbe anche rimandare a più antiche divinità-scheletro azteche come Mictlāntēuctli e Ītzpāpālōtl, nonché al culto sincretista di Nostra Signora della Santa Morte. Nell'iconografia azteca lo scheletro era una figura minacciosa e simboleggiava la distruzione, ma soprattutto in chiave positiva, in quanto significava che la vita sarebbe stata impossibile senza l'energia purificatrice della morte.

Frida Kahlo
*Quel che l'acqua
mi ha dato*, 1938
Olio su tela, 91 x 70 cm
Parigi, Collezione
Daniel Filipacchi

Nell'opera di Frida Kahlo gli scheletri compaiono spesso come simboli del Messico, insieme a motivi della cultura azteca e a numerose altre immagini, che vanno da animali e piante al sangue e si riferiscono alle esperienze personali dell'artista sul piano della cultura, della politica e della femminilità.

ALTRE OPERE IMPORTANTI

Hieronymus Bosch, *La morte dell'avaro*, ca. 1485-90, Washington,
    National Gallery
Hans Holbein, *Danza macabra*, 1523-25, Amsterdam, Rijksmuseum
José Guadalupe Posada, *Teschio di un soldato di Oaxaca*, 1903,
    Città del Messico, Collezione A. V. Arroyo
Paul Delvaux, *Venere dormiente*, 1944, Londra, Tate

TESCHIO

Dal crocifisso seminascosto nell'angolo in alto a sinistra alla corda strappata del liuto giallo, il dipinto *Gli ambasciatori* di Hans Holbein (eseguito a Londra) contiene un'insolita quantità di dettagli simbolici. Perché l'artista abbia utilizzato così tante immagini criptiche rimane un mistero, legato a un'altra domanda probabilmente senza risposta sui motivi della commissione e sul rapporto fra i due uomini. Forse Jean de Dinteville (in piedi a sinistra), il committente del ritratto, collaborò con l'amico Georges de Selve (a destra) e con lo stesso Holbein per realizzare un'immagine che avrebbe sopraffatto lo spettatore con i simboli dei loro vasti interessi intellettuali. Il simbolo più celebre è la forma oblunga nella parte bassa del quadro: un teschio umano in prospettiva anamorfica, riconoscibile soltanto se lo si guarda dall'alto e da destra con un'angolazione obliqua discendente.

Holbein aveva già ampiamente utilizzato in precedenza scheletri e teschi nella sua tumultuosa serie di quarantuno xilografie chiamata *La danza macabra*, in cui gli scheletri erano malvagi portatori di morte che mietevano vittime in modo indiscriminato fra tutte le classi sociali, dagli imperatori ai monaci ai contadini. Nel dipinto

Hans Holbein il Giovane
Gli ambasciatori, 1533
Olio su tavola di quercia,
207 x 209,5 cm
Londra, National Gallery

Il fatto che il teschio sia dipinto in prospettiva anamorfica è un'affermazione filosofica oltre che un'illusione ottica: la morte è una realtà inafferrabile sottesa alla vita e nessuna delle due condizioni può essere compresa chiaramente nello stesso momento.

Gli ambasciatori il simbolismo è più passivo: il teschio è un *memento mori*, serve a ricordare l'ubiquità della morte e la brevità della vita. Holbein utilizza il teschio in un'accezione tipica dell'arte cristiana e delle nature morte europee: è spesso oggetto di contemplazione sulla mortalità ed è associato a figure religiose meditative come san Francesco d'Assisi e Maria Maddalena. In alcune manifestazioni artistiche religiose tibetane, buddiste e indù, i teschi hanno uno scopo meno innocuo e vengono indossati dalle divinità come ornamenti e a volte usati come coppe piene di sangue.

Chamunda, la spietata distruttrice del male (India), X-XI sec. Arenaria, h. 113 cm New York, Metropolitan Museum of Art

Chamunda, la versione vendicativa della dea indù Durga, protettrice e materna, indossa una tiara decorata con teschi e una falce di luna. Questi tipi di sculture erano destinati alle facciate dei templi: tuttavia, essa non doveva ispirare terrore ma ristabilire l'armonia, combattendo i demoni malvagi.

ALTRE OPERE IMPORTANTI

Mosaico con teschio e livella (Pompei), I sec. d.C., Napoli, Museo Archeologico Nazionale

Frans Hals, *Giovane uomo con teschio (Vanitas)*, 1626-28, Londra, National Gallery

Georgia O'Keeffe, *Teschio di mucca: rosso, bianco e blu*, 1931, New York, Metropolitan Museum of Art

Damien Hirst, *For the Love of God*, 2007, Collezione privata

PIEDE

La presenza dei piedi ha significati molto diversi nell'arte orientale
e occidentale. Nell'arte indù e buddista l'impronta di un piede
è sacra perché indica l'orma di una divinità e la sua interazione
con la terra. Nel cristianesimo di solito la rappresentazione
di un piede nudo indica l'umiltà dei poveri.

Le impronte del Buddha (*Buddhapada*) mostrano uno dei primi
esempi dell'adozione di una tecnica utilizzata in precedenza
dalla devozione induista per trasformare un'orma in luogo di
pellegrinaggio: indicavano un punto dove si riteneva che il Buddha
avesse camminato e consentivano ai fedeli di sperimentare
contemporaneamente la sua presenza e la sua assenza.

Secondo la Bibbia. Gesù lavò i piedi dei discepoli e così facendo
dimostrò il proprio amore e la propria umiltà. Riferendosi a questa
storia Niccolò Lorini del Monte, uno studioso italiano del XVII
secolo, dichiarò nel 1617 che "i piedi si piglino per li poveri, e humili
di Santa Chiesa [...]. Imperocché, se i piedi sono l'ultima e più infima

Impronte del Buddha
(*Buddhapada*),
II sec. d.C. Scisto,
86,36 x 125,1 x 6,35 cm
Yale, Yale University
Art Gallery

**In quest'opera ogni piede
ha due *dharmachakra*
con un fiore di loto
al centro, un simbolo
del *triratna*, e le dita sono
decorate con svastiche
e tridenti. Impronte simili
si possono trovare
in Sri Lanka, Tailandia,
Cina e Giappone.**

Caravaggio
Madonna di Loreto,
1604-06
Olio su tela,
260 x 150 cm
Roma, Sant'Agostino

**All'inizio del XVII secolo,
un realismo così crudo
e diretto come quello
dei piedi nudi dei
pellegrini nel contesto
di un'immagine religiosa
era una mossa radicale:
glorificava i poveri
e voleva ispirare i ricchi
a fare il proprio dovere
di carità nei confronti
dei meno privilegiati.**

parte del corpo, sono i poveri e gli humili l'ultima parte, e quelli che
nella Chiesa tengono l'ultimo luogo".

La *Madonna di Loreto* di Caravaggio fu dipinta a Roma poco prima
che venisse scritta questa frase e mostra due pellegrini davanti a una
visione della Madonna. L'artista ha voluto che i loro piedi malconci
fossero un punto focale, obbligando gli spettatori a riflettere
sulle responsabilità della Chiesa nei confronti dei più umili.

ALTRE OPERE IMPORTANTI

Lo Spinario, I sec. a.C., Roma, Musei Capitolini

Andrea Mantegna, *Cristo morto*, ca. 1483, Milano,
   Pinacoteca di Brera

Buddha sdraiato, 1832, Bangkok, Wat Pho

Ford Madox Brown, *Gesù lava i piedi di Pietro*, 1852-56, Londra,
   Tate

POSTURA

Nell'arte occidentale, le pose del corpo umano in genere hanno
un qualche significato. Ma se si pensa alla pura e semplice quantità
di posture corporee che una persona può assumere (e all'immensa
quantità di modi in cui esse potrebbero essere interpretate a seconda
del rispettivo contesto socio-culturale), è spesso difficile attribuirvi un
significato specifico univoco. Tuttavia, nell'arte sacra, nella danza e nella
pratica della meditazione dell'Asia sud-orientale, le posture (*asana*)
sono state codificate e hanno ciascuna un senso preciso. Se vengono
integrate nella disciplina dello yoga, tali posture, si crede, esaltano le
esperienze spirituali creando una recettività ideale per la meditazione.

    Un esempio del canone formato da postura, gesti ed espressione
facciale è noto come *rajalilasana*, traducibile come "posizione

Il *bodhisattva*
Avalokiteshvara seduto
in *rajalilasana* (Cambogia),
X-XI sec.
Lega di rame
e intarsi d'argento,
57,8 x 45,7 x 30,5 cm
New York, Metropolitan
Museum of Art

**Questa postura si stacca
dalla rigidità della
tipica posizione del
loto a gambe incrociate
riservata al Buddha,
facendo apparire
il soggetto mobile
e reattivo nei confronti
sia dell'ambiente
circostante sia degli
spettatori mortali.**

regalmente rilassata": si tratta di una posa a gambe incrociate con un ginocchio sollevato per comodità, come si vede nella figura del *bodhisattva* Avalokiteshvara. La scultura raffigura il *bodhisattva* della compassione e della pietà in modo particolarmente flessuoso e sereno. Un tempo presentava inserti di vetro nero a mo' di baffi, occhi e sopracciglia, che dovevano conferire una brillante lucentezza all'espressione gentile e autorevole del volto; ma probabilmente per gli spettatori l'aspetto più importante dal punto di vista simbolico era la sua postura. La posa regale ci ricorda che nella cultura Khmer i re erano legati alla dimensione divina e ci fa pensare che forse questo esempio rappresentasse uno specifico sovrano Khmer che incarnava la grazia di un *bodhisattva*. Altri esempi di *asana* comprendono la posizione del loto (*padmasana*: seduti a gambe incrociate con le piante dei piedi rivolte verso l'alto) e la posizione rilassata (*lalitasana*, come la posizione del loto ma con una gamba che pende).

Anche nell'arte europea è possibile identificare alcune posture tipiche. Il contrapposto è una posizione frontale con una gamba piegata che causa l'inclinazione del fianco (come si vede ad esempio nel Mercurio della *Primavera* di Botticelli alle pp. 18-19). L'*adlocutio* mostra una figura carismatica con un braccio alzato nell'atto di arringare le truppe (come si vede, ad esempio, nel *Napoleone che attraversa le Alpi* di David a p. 103).

The Adoration of the Cage Fighters di Grayson Perry fa parte di una serie di arazzi che documentano l'odissea di un immaginario cittadino del XXI secolo di nome Tim fra le classi sociali inglesi. Ogni arazzo prende di mira temi tratti dalla storia dell'arte, adottando e adattando posture, simboli e canoni compositivi riconoscibili. Qui Perry fa chiaramente la parodia di dipinti come *L'adorazione dei pastori* di Andrea Mantegna (ca. 1450), con due lottatori di arti marziali nella posa di venerazione chiamata genuflessione, i quali offrono alla madre di Tim doni significativi per la loro città e il loro territorio: una mini-maglia della squadra di calcio del Sunderland e una lampada da minatore.

ALTRE OPERE IMPORTANTI

Adlocutio: Augusto di Prima Porta, I sec. d.C., Città del Vaticano, Musei Vaticani

Lalitasana: Vishnu in trono, seconda metà VIII sec.-inizio IX sec., New York, Metropolitan Museum of Art

Padmasana: Buddha Amitabha seduto (*Amida Nyorai*), ca. 794-1185, San Francisco, Asian Art Museum

Contrapposto: Michelangelo, *David*, 1501-04, Firenze, Galleria dell'Accademia

Grayson Perry
The Adoration of the Cage Fighters, 2012
Arazzo di lana, cotone, acrilico, poliestere e seta, 200 x 400 cm
Londra, The Arts Council Collection

In questo arazzo proliferano i simboli, per mostrare gli strati sovrapposti presenti nell'identità contemporanea britannica. Molti sono collegati alla cultura popolare, ma la composizione complessiva è ispirata a una pala d'altare rinascimentale, per indicare la persistente influenza di certi simboli storici e di certe pose.

GESTI DELLE MANI

Nelle opere d'arte indù e buddiste i gesti delle mani delle divinità, chiamati *mudra*, hanno un significato religioso. Come gli *asana* (**posture** corporee), sono stati codificati nel corso del primo millennio d.C. in Asia, forse adattandoli dai gesti delle danze rituali. Uno dei primi esempi della costituzione di questo linguaggio è il Buddha in piedi del Gandhāra, che solleva la mano destra con il palmo in avanti in un gesto noto come *abhaya-mudra*, un segno di protezione divina che allontana ogni timore. Nelle sculture più tarde questo gesto viene accompagnato dalla mano sinistra aperta e rivolta verso il basso nel cosiddetto *varada-mudra*, il gesto del dono e del perdono (visibile nella scultura cinese del VI secolo del Buddha Maitreya a p. 134 e nello Shiva Nataraja a p. 33). Il Buddha Amida giapponese del XII secolo siede nella posizione *padmasana* con le mani atteggiate nel gesto conosciuto come *vitarka-mudra*, che indica l'insegnamento: le punte unite di pollice e indice creano la Ruota della Legge (*dharmachakra*).

In alto a sinistra:
Buddha in piedi
(Gandhāra, oggi
Pakistan), ca. II sec. d.C.
Scisto, h. 119,7 cm
Cleveland, Cleveland
Museum of Art

Nel gesto
dell'*abhaya-mudra*
la mano destra alzata
indica l'appagamento
e la sicurezza concessi
ai fedeli.

Nell'arte europea si potrebbero individuare innumerevoli gesti delle mani, alcuni più facili da interpretare di altri. Uno dei più comuni è il segno di benedizione, con pollice indice e medio estesi a simboleggiare la Trinità di Padre, Figlio e Spirito Santo. Si pensa che il *Santo vescovo* di Riemenschneider ritragga un vescovo inglese di Würzburg, morto nel 754. La mano protesa verso il fedele infonde efficacemente vita alla figura, così come la resa altamente naturalistica dei lineamenti, cesellati con straordinaria sensibilità.

Pagina a fianco, a destra:
Buddha Amida
(Giappone), 1125-1175
Legno, 87 x 71 x 56,5 cm
Amsterdam,
Rijksmuseum

**La posizione delle mani
con le punte unite
di pollice e indice
a formare un cerchio,
nota come *vitarka-mudra*,
è un gesto di
insegnamento che
simboleggia la "Ruota
della Legge" buddista.**

ALTRE OPERE IMPORTANTI

Sultanganj Buddha, ca. 500-700, Birmingham, Birmingham
  Museum and Art Gallery
Buddha seduto (Gandhāra, oggi Pakistan), I sec.-metà II sec.
  d.C., New York, Metropolitan Museum of Art
Buddha che espone il Dharma (Anuradhapura, Sri Lanka),
  fine VIII sec., New York, Metropolitan Museum of Art
Cristo Pantocrator, XII sec., mosaico, Istanbul, Hagia Sophia

Tilman Riemenschneider
*Un santo vescovo
(Burchard di Würzburg?)*,
ca. 1515-20
Legno di tiglio
con tracce di policromia,
82,3 x 47,2 x 30,2 cm
Washington, National
Gallery of Art

**Il segno della benedizione
(con pollice, indice
e medio alzati) viene
fatto dai sacerdoti
nelle celebrazioni
cristiane.**

SANGUE

Il sangue è un simbolo di vitalità nelle culture di tutto il mondo.
Cerimonie che prevedono versamenti di sangue e unzioni rituali con
il sangue (per esempio l'aspersione di statue votive) sono presenti
nelle religioni greco-romana, indù, maya ed ebraica antica, nel culto
di Mitra e nella religione Vodun dell'Africa occidentale. Il sangue era
fondamentale anche nell'arte e nei rituali maya e aztechi. Secondo le
credenze azteche gli dèi avevano creato l'umanità versando il proprio
sangue e quindi dovevano essere ricambiati pagando il "debito di sangue"
sotto forma di sacrifici umani di massa. Nella cultura occidentale
il sangue è stato simbolicamente associato a concetti come il sacrificio
e la legittimità individuale in termini di ascendenza (la linea di sangue),
nonché all'obbligo contrattuale (il "patto di sangue").

Il sangue di Gesù è uno dei simboli più potenti del cristianesimo
e viene invocato durante il rito dell'Eucaristia per indicare
la redenzione. Il sangue viene spesso mostrato nelle scene
della Crocifissione, a volte in grande quantità. In alcuni casi gli **angeli**
lo raccolgono in apposite coppe.

L'opera *Self* di Marc Quinn è fatta con quasi sei litri di sangue
dell'artista, prelevato nel corso di oltre cinque "salassi", congelato
in uno stampo di gesso della sua testa e poi conservato in una teca
di perspex refrigerata, come la versione contemporanea di un antico
busto alimentata a elettricità. È la risposta all'eterno problema dei
ritrattisti: come fare in modo che il soggetto sia davvero presente in
un oggetto d'arte altrimenti statico e inerte. L'uso del sangue
come simbolo di autenticità, vitalità e martirio quindi collega Quinn
a una storia più profonda di simbolismi artistici e religiosi.

Marc Quinn
Self, 2006
5,68 litri di sangue
(dell'artista), acciaio
inossidabile, perspex
e impianto refrigerante,
208 x 63 x 63 cm
Collezione privata

**In questa innovativa
scultura l'opera d'arte
è l'artista stesso ed è fatta
col suo sangue. La storia
della cultura è piena
di esempi di autosacrifici
in nome dell'arte, ma
pochi sono così audaci.**

Nell'immagine di Chinnamastā, del XIX secolo, il sesso e
l'amore vengono riuniti in modo violento. La figura centrale, una
versione malvagia della dea madre Devi, si è appena decapitata ed
è ancora in piedi sopra i corpi di altre due divinità, Rati e Kama,
impegnate ad accoppiarsi in un fiore di **loto**. Chinnamastā proviene
dalle tradizioni tantriche indù e buddiste e la rappresentazione del
suo sacrificio fa riferimento allo yoga kundalini, in cui le energie
corporee vengono rilasciate attraverso tre canali, rappresentati dai
tre zampilli di sangue. L'immagine quindi simboleggia l'illuminazione
spirituale. Il fatto che Chinnamastā sia in piedi sopra una coppia che
fa sesso indica che creazione e distruzione in realtà sono concetti
interconnessi.

ALTRE OPERE IMPORTANTI

Caravaggio, *Giuditta e Oloferne*, Roma, Galleria Nazionale d'Arte
   Antica a Palazzo Barberini
Maestro della morte di san Nicola di Münster, *Calvario*,
   1470-1480, Washington, National Gallery
Thomas Eakins, *La clinica del dottor Gross*, 1875, Philadelphia,
   Philadelphia Museum of Art
Ravi Varma, *Kali*, 1910-20, New York, Metropolitan Museum of Art

लाला शिवे खाविन नाल   চিন্নমস্তা   ছিন্নমস্তীকা   কলিকাতা

Chinnamastā (India),
XIX sec.
Xilografia colorata,
28 x 23 cm
Londra, British Museum

**Le guardie di Chinnamastā,
così come la sua stessa testa
mozzata, bevono il sangue
sacrificale che schizza
dal collo per assimilarne
il potere rigenerante.**

OCCHIO

Nicolas Poussin
Autoritratto, 1650
Olio su tela, 98 x 74 cm
Parigi, Louvre

La donna con l'ignoto compagno nel dipinto sullo sfondo sembra essere un'allegoria dell'amicizia che incontra la pittura, quest'ultima simboleggiata da un occhio, l'organo di senso più importante per l'artista.

Il pittore francese barocco Nicolas Poussin dipinse questo autoritratto nel 1650 per donarlo al suo mecenate Paul Fréart de Chantelou. L'artista aveva due scopi principali nel realizzare quest'opera: il primo era sintetizzare la propria filosofia artistica, il secondo era creare un'immagine simbolica del proprio rapporto intellettuale con Chantelou. Per raggiungere il primo obiettivo si presenta con gli abiti neri dello studioso e fissa lo spettatore con uno sguardo serio e diretto. I suoi occhi però non sono gli unici presenti nel dipinto. Uno dei dipinti accatastati alle sue spalle, nello studio, mostra una donna che indossa un diadema con un occhio al centro e due braccia sollevate ad abbracciarla. Questo definisce il secondo obiettivo dell'immagine, alludendo al rapporto fra pittore e committente.

L'immagine dell'unico occhio ha una storia: raffigurato all'interno di un triangolo (come sul retro delle banconote americane da un dollaro, dove lo si vede al di sopra di una piramide) rappresenta "l'occhio della provvidenza" onnisciente, che deriva dall'iconografia cristiana. A volte Buddha e i *bodhisattva* vengono rappresentati con un terzo occhio sulla fronte (come il *bodhisattva* Avalokiteshvara seduto in *rajalilasana* a p. 118), che indica una percezione spirituale più alta.

In tempi più antichi le immagini di occhi ebbero un ruolo importante anche nell'iconografia egizia. Due occhi dipinti su un sarcofago permettevano al defunto di vedere nell'aldilà, e un occhio singolo allontanava il male. L'occhio di Horus era l'ibridazione di un occhio umano con un occhio di **falco** lanario e mostrava i segni scuri stilizzati presenti sulle sopracciglia e sui lati della testa del falco (per il collegamento con Horus, si veda a p. 77). Secondo la religione egizia, Horus era stato ferito all'occhio durante il combattimento con lo zio Seth, ma poi era stato guarito da Thoth.

ALTRE OPERE IMPORTANTI

Occhio di Horus (*wedjat*) dorato (Thonis/Heracleion), 332-330 a.C., Alessandria d'Egitto, Museo Nazionale

Francesco del Cossa, *Santa Lucia*, 1473-74, Washington, National Gallery

Testa del Buddha (prob. Afghanistan), 300-400 d.C., Londra, Victoria and Albert Museum

René Magritte, *Il falso specchio*, 1929, New York, Museum of Modern Art (MoMA)

Amuleto con occhio di Horus, 664-525 a.C. Composizione smaltata, 5 x 6,8 x 0,7 cm Londra, British Museum

Questo amuleto era abbastanza piccolo da poter essere indossato o tenuto in mano, portando quindi fortuna al proprietario. Si credeva che gli amuleti con l'occhio di Horus offrissero protezione e avessero poteri taumaturgici.

ANGELO

Gli angeli sono intermediari divini fra cielo e terra. Vari tipi di esseri celestiali e angelici compaiono nell'arte religiosa mesopotamica, egizia, greco-romana, islamica, indù, buddista, ebraica e cristiana. Nel V secolo d.C. il teologo noto come lo Pseudo-Dionigi stabilì la suddivisione canonica dei cori angelici nel testo *La gerarchia celeste*. Nell'*Assunzione della Vergine* di Masolino da Panicale, opera dipinta a Firenze, queste gerarchie e le relative posizioni rispetto al cielo sono state tradotte in uno stormo fragoroso. Partendo dal gruppo di angeli più vicini alla Vergine e procedendo verso i cerchi più esterni, la gerarchia è ordinata come segue:

1. Serafini: gli "angeli infuocati" sono rossi, hanno sei ali e il loro corpo non si vede.
2. Cherubini: gli "angeli che pregano" occupano il secondo cerchio, sono di colore blu, con quattro ali, e qui vengono rappresentati senza corpo.
3. Troni: sono rappresentati in alto, vestiti di blu. A volte sorreggono un trono ma qui portano delle mandorle, per richiamare la mandorla principale che contiene la Vergine.
4. Dominazioni: portano sfere e scettri che si pensava emanassero luce.
5. Principati: portano gli stendardi della resurrezione con la croce rossa in campo bianco, detta anche vessillo di San Giorgio e in seguito adottata come bandiera dell'Inghilterra.
6. Potestà: indossano l'armatura e portano scudi e **spade** per sconfiggere il male.
7. Virtù: portano rotoli con il proprio nome.
8. Arcangeli: l'ordine angelico che interagisce più spesso con l'umanità.
9. Angeli: la classe più bassa di angeli, che occasionalmente viene coinvolta nelle vicende terrene.

Masolino da Panicale
Assunzione della Vergine,
pannello centrale
del trittico di Santa Maria
Maggiore (Roma),
1424-28
Tempera, olio e oro
su tavola, 144 x 76 cm
Napoli, Museo
di Capodimonte

**Il dipinto di Masolino
rappresenta i nove cori
angelici ordinati secondo
la gerarchia celeste.**

Gli angeli presenti in *Shāh Jahān su una terrazza con un ciondolo che contiene il suo ritratto* avevano lo scopo di enfatizzare la supremazia dell'imperatore indiano come sovrano del vasto e culturalmente ricco impero Moghul (1526-1857). Questo ritratto è un esempio di autentica megalomania: l'imperatore contempla una miniatura con il proprio ritratto, la testa circonfusa da un'**aureola** dorata, mentre creature angeliche simili a cherubini svolazzano fra le nuvole come a onorare la figura divina sottostante.

ALTRE OPERE IMPORTANTI

Angelo seduto su un tappeto (dinastia shaybanide, Bukhara), ca. 1555, Londra, British Museum

Francesco Botticini, *Assunzione della Vergine*, 1475-76, Londra, National Gallery

Giotto, *Compianto sul Cristo morto*, 1305, Padova, Cappella degli Scrovegni

Antony Gormley, *Angel of the North*, 1998, Gateshead, contea di Tyne and Wear

Chitarman
Shāh Jahān su una terrazza con un ciondolo che contiene il suo ritratto, dall'*Album di Shāh Jahān,* 1627-8
Inchiostro, acquerello opaco e oro su carta, 38,9 x 25,7 cm
New York, Metropolitan Museum of Art

La presenza di angeli in questa scena indica che le botteghe dell'impero Moghul conoscevano i simboli dell'arte europea ed erano disposte a metabolizzarli, adattarli e rigenerarli all'interno della propria iconografia.

AUREOLA

Buddha Maitreya (Cina),
524 d.C.
Bronzo dorato, h. 76,8 cm
New York, Metropolitan
Museum of Art

Qui il Buddha/
bodhisattva viene
mostrato mentre scende
dal cielo in gloria,
con un'aureola dietro
la testa e un'altra più
grande e fiammeggiante,
a forma di mandorla,
che avvolge l'intero
suo corpo.

Le aureole – cerchi di luce che simboleggiano la divinità – compaiono nell'iconografia di innumerevoli religioni eurasiatiche fra cui lo zoroastrismo, il culto di Mitra, la mitologia greco-romana, il buddismo e il vedismo. L'arte cristiana cominciò a utilizzarle soltanto intorno al V secolo d.C., quando le aureole circolari erano molto diffuse, ma comparivano anche aureole quadrate per indicare i santi viventi, mentre l'aureola triangolare era riservata a Dio Padre (questa forma veniva utilizzata anche per contenere "l'occhio della provvidenza": si veda a p. 129).

Il Buddha Maitreya è sia un Buddha sia un *bodhisattva*; si pensa che sia il "Buddha futuro", che sarebbe apparso in gloria dopo l'imminente rovina dell'umanità. Atteggia le mani nella posizione *varada-mudra* che offre protezione ed esaudisce le richieste, ed è attorniato da un gruppo di ninfe suonatrici (chiamate *apsaras*), *bodhisattva* e monaci. Sul retro del Buddha Maitreya c'è un'iscrizione che spiega che la statua era stata commissionata da un uomo il cui figlio era morto. La sua speranza era che si sarebbero riuniti nel regno della purezza governato dal glorioso Maitreya.

ALTRE OPERE IMPORTANTI

Cerimonia di incoronazione di Sapore II, 363-379 d.C.,
 Taq-e Bostan (Iran)
Buddha in piedi che offre protezione (India), fine V sec. d.C.,
 New York, Metropolitan Museum of Art
Cristo Cosmocrator con angeli e san Vitale, ca. 546 d.C.,
 Ravenna, San Vitale
Scuola umbra o romana, *Madonna col Bambino in una mandorla*
 con cherubini, 1480-1500, Londra, National Gallery

OGGETTI

-

È attraverso i simboli che l'uomo,
consapevolmente o inconsapevolmente,
vive, lavora ed esiste.

-

Thomas Carlyle
1831

CONCHIGLIA

Una Venere passiva, vestita solo dei suoi gioielli d'oro, fa un gesto
morbido con la mano e scivola dolcemente sulle onde, adagiata
in una valva di cardio e circonfusa da un velo fluttuante che richiama
la forma della conchiglia. L'immagine della *Venere in conchiglia*
fu creata per sedurre gli sguardi degli abitanti di Pompei, che
la veneravano non soltanto come dea dell'amore e della bellezza ma
anche come nume tutelare della città. In questo affresco si uniscono
due tipiche associazioni della conchiglia nella storia dell'arte:
la femminilità e la procreazione. Si diceva che la nascita di Venere
fosse avvenuta dopo che il titano Crono aveva castrato il padre
Urano, per gettare poi i suoi genitali nel mare. La dea era stata
concepita nell'abbraccio del seme e dell'acqua di mare, era nata
da una conchiglia ed era stata spinta a riva dalle onde.

L'associazione della conchiglia con la fecondità deriva dal suo
legame con l'**acqua**. Uno dei quattro attributi della divinità indù
Vishnu è una conchiglia e nel bassorilievo con Vishnu nel suo sonno
cosmico proveniente dall'Uttar Pradesh, in India, il dio stringe
una conchiglia nella mano sinistra in primo piano. Vishnu dorme
nelle acque primordiali e in questo modo crea il mondo. Il suo letto
è il potente **serpente** a più teste Anata (che si può vedere sul lato
sinistro della scultura mentre avvolge Vishnu) e dal suo ombelico
spunta una pianta di **loto** sulla quale siede Brahma. La conchiglia si

Venere in conchiglia,
ante 79 d.C.
Affresco
Pompei, Casa della
Venere in conchiglia

**Questo affresco,
nella forma appiattita
e nella composizione
centralizzata, anticipa
la successiva e più nota
Nascita di Venere
del Botticelli, così come
innumerevoli altri nudi
femminili supini della
tradizione occidentale.**

Vishnu nel suo sonno
cosmico, XI sec.
Arenaria,
36,8 x 55,9 x 11,4 cm
Los Angeles, Los Angeles
County Museum of Art

**La conchiglia
di strombo è l'attributo
più frequente di Vishnu,
che qui la tiene
appoggiata
alla coscia sinistra.**

riferisce all'ambiente acquatico embrionale ed è quindi un simbolo
di nascita, proprio come nel mito di Afrodite/Venere.

Oltre alla femminilità e alla propagazione, le conchiglie assumono
anche significati diversi in altri contesti. Nel Benin le ciprée erano
riconosciute come valuta e compaiono spesso nelle sculture
di questa e di altre regioni africane per indicare ricchezza e potere.
Generalmente nell'induismo la conchiglia è un simbolo importante
e viene utilizzata come **tromba** nei rituali. In Europa la conchiglia
di capasanta era il simbolo di san Giacomo Maggiore. I suoi resti
erano sepolti a Santiago de Compostela, che divenne un'importante
meta di pellegrinaggi, e quindi la conchiglia è diventata anche
il simbolo dei pellegrini.

ALTRE OPERE IMPORTANTI

Sandro Botticelli, *La nascita di Venere*, ca. 1485, Firenze,
    Galleria degli Uffizi

Caravaggio, *La cena in Emmaus*, 1601, Londra, National Gallery

Maschera, *ante* 1880 (Regno di Bamum, Camerun), New York,
    Metropolitan Museum of Art

Eileen Agar, *Autobiografia di un embrione*, 1933-34, Londra, Tate

ARCO E FRECCE

Le frecce sono frequentemente utilizzate come simbolo di autorità militare o di caccia. I faraoni egizi, per esempio, eseguivano un lancio rituale di quattro frecce verso i punti cardinali per simboleggiare la sovranità sul mondo. Nel VII secolo a.C. il re assiro Assurbanipal vedeva la freccia come simbolo di autorità risoluta, capace di colpire i suoi nemici da una grande distanza. Il leone, rappresentato in questo bassorilievo con i muscoli tesi nel momento di massima aggressività, si contrappone alla fredda efficenza di Assurbanipal che soffoca il dissenso.

In altri contesti le frecce sono le armi dell'amore, piuttosto che della guerra. Il dio bambino Eros/Cupido della mitologia greco-romana, che appare in *Venere e Cupido* di Agnolo Bronzino, possedeva una freccia dalla punta dorata che aveva il potere di suscitare amore e passione in chiunque ne venisse colpito. Eppure, i ruoli precisi della freccia e delle altre figure e oggetti presenti nel dipinto del Bronzino sono materia di discussione fra gli storici dell'arte. Il quadro era un dono per Francesco I, re di Francia, da parte di Cosimo I de' Medici, granduca di Toscana. Questo potrebbe spiegare la complessità dell'immagine: Cosimo sapeva che Francesco I si sarebbe divertito a decifrarne gli astrusi simboli tanto quanto avrebbe apprezzato il sontuoso dispiegamento di nudità e di tessuti preziosi. Bronzino era l'artista perfetto per un simile incarico, perché era un poeta oltre che un pittore. I suoi versi erano erotici, eufemistici e allusivi e quasi ogni parola conteneva un doppio e più oscuro significato.

Caccia ai leoni, bassorilievo, Ninive (oggi Iraq settentrionale), 645-635 a.C. Alabastro gessoso, 63,5 x 71,1 cm Londra, British Museum

Questa scena è un'allegoria delle guerre combattute dal re assiro Assurbanipal contro i nemici egizi, elamiti e babilonesi. La freccia indica la potenza dei suoi eserciti.

Venere e Cupido sfrutta tali abilità poetiche sotto forma
di immagine, confidando nella capacità, da parte degli osservatori,
di comprendere le associazioni dei vari simboli e sovvertendone le
aspettative nei confronti di una scena raffigurante la dea dell'amore
e suo figlio. Le frecce d'oro di Cupido sono i dardi dell'amore, però
le figure che circondano la coppia – l'angosciata Gelosia (che
potrebbe essere un'allegoria della sifilide), l'infantile Piacere (troppo
rapito per sentire la puntura delle spine sui piedi), l'Inganno con
il suo favo di miele e la coda avvelenata, il Padre Tempo
moralizzatore e le **maschere** della Dissimulazione – sembrano tutte
rimandare alle sinistre ripercussioni della passione.

ALTRE OPERE IMPORTANTI

Guerriero a cavallo, XIV sec., Kyoto, Kyoto National Museum
Paolo Veronese, *Allegoria dell'amore II (il Disinganno)*, ca. 1545,
   Londra, National Gallery
L'imperatore Jahangir con arco e freccia, ca. 1603, Washington,
   Arthur M. Sackler Gallery
Sir Joshua Reynolds, *Il colonnello Acland e Lord Sydney:
   gli arcieri*, 1769, Londra, Tate

Agnolo Bronzino
Venere e Cupido, ca. 1545
Olio su tavola,
146,1 x 116,2 cm
Londra, National Gallery

**Al centro del dipinto
sembra esserci un atto
di mutuo inganno:
Venere ruba una
freccia dalla faretra
di Cupido, mentre lui
scherzosamente le sfila
la corona dalla testa.**

CORONA

La corona è uno dei simboli più chiari di dominio e di gloria
e nell'arte questi oggetti possono essere attributi di divinità
trionfanti, di antichi sovrani ma anche di campioni della cultura
o di imprese sportive.

Il re rappresentato nel busto di terracotta proveniente da Ife,
una città dell'attuale Nigeria, indossa una corona ornata di perline
chiamata *adenla*. Nella cultura di Ife il re era considerato una figura
divina e la corona non era un semplice simbolo di sovranità:
si credeva che l'atto di indossarla lo collegasse con gli spiriti di tutti
i sovrani precedenti. Sculture come questa venivano seppellite
sotto gli alberi sacri; si pensa che venissero in seguito disseppellite
per essere utilizzate in cerimonie successive. Il busto mostra due
aspetti del ruolo del re: da una parte, la corona rivela la sua divinità
sovrumana e il lignaggio regale nel popolo degli Yoruba, dall'altra
la sua mortalità e individualità vengono comunicate nella squisita
fattura della struttura ossea e della carne morbida.

Nella storia dell'arte le corone assumono molte forme diverse.
Nell'antico Egitto una corona bianca simboleggiava il potere
sull'Alto Egitto, mentre quella rossa si riferiva al Basso Egitto:
la doppia corona simboleggiava il dominio sull'intero territorio.
Shiva, le divinità buddiste e altri dei-sovrani mitologici si trovano
spesso rappresentati con corone di varia foggia. Nell'arte cristiana
una corona può essere gloriosa, come nelle scene dell'incoronazione
celeste della Vergine, o tragica, come nella corona di spine che
è un simbolo della Crocifissione di Gesù. Nelle allegorie europee

Testa, probabilmente
di un re (Ife, oggi
Nigeria), XII-XIV sec.
Terracotta con residui
di pigmento rosso
e tracce di mica,
26,7 x14,5 x 18,7 cm
Fort Worth,
Kimbell Art Museum

**La grazia e il realismo
dei lineamenti in questo
ritratto potrebbero
distrarre l'attenzione
dalla corona, ma
il copricapo aveva
un importante significato
simbolico per il popolo
degli Yoruba.**

**Bottega
di Aelbrecht Bouts**
L'uomo dei dolori, ca. 1525
Olio su tavola di quercia,
44,5 x 28,6 cm
New York, Metropolitan
Museum of Art

**Bouts ha reso più
vivida la sofferenza
di Gesù dipingendo
spine innaturalmente
lunghe ed enfatizzando
l'arrossamento degli occhi
e le lacrime sulle guance.**

la corona di **alloro** indica vittoria, ma nelle nature morte dette
vanitas può simboleggiare la futilità del potere terreno.

Il dipinto di Bouts è una rappresentazione della corona di spine,
fra i simboli più profondi dell'umiltà nell'iconografia cristiana. Mostra
gli effetti della Passione, la serie di eventi cominciata con l'arresto
di Gesù e finita con la sua esecuzione. Il quadro si attiene a un crudo
realismo: ogni ciocca di capelli di Gesù è stata dipinta singolarmente
e si distinguono linee verticali bluastre sulla fronte, per mostrare
i punti dove le spine si sono infilate sotto la pelle. In questa semplice
scena la corona, l'**aureola**, il **sangue** e il **gesto benedicente della
mano** concorrono a comunicare il significato dell'immagine. Questo
tipo di iconografia non narrativa, incentrata sulla sofferenza fisica
e mentale di Gesù, è detta "Uomo dei Dolori". Secondo le Scritture,
la corona di spine fu posta sulla testa di Gesù dai romani incaricati
di giustiziarlo come gesto di scherno: gli avevano anche messo
addosso un finto mantello imperiale e avevano inscenato
una beffarda incoronazione, ripetendo: "Salve, re dei Giudei".
Il tema della corona di spine acquistò popolarità nella storia dell'arte
a partire dal tardo Medioevo, quando gli scrittori e gli artisti religiosi
europei cominciarono a concentrarsi sugli episodi della Passione.

ALTRE OPERE IMPORTANTI

Statuetta del dio Sobek dalla testa di coccodrillo, 664-332 a.C.,
    Parigi, Louvre

Placca del Benin, XVI sec., Londra, British Museum

Antoon van Dyck, *Incoronazione di spine*, 1618-20, Madrid,
    Museo del Prado

Jacques-Louis David, *Incoronazione di Napoleone*, 1805, Parigi,
    Louvre

MASCHERA

Artemisia Gentileschi
Autoritratto come allegoria della Pittura, ca. 1638-9
Olio su tela,
96,5 x 73,7 cm
Hampton Court Palace,
Royal Collection

Le maschere simboleggiano l'imitazione della vita. Nel dipinto di Artemisia Gentileschi il ciondolo a forma di maschera è orientato verso la tavolozza e i pennelli dell'artista, gli strumenti con cui essa esprime la propria creatività.

Le maschere sono legate alla creatività, ai rituali e alle esibizioni teatrali in tutte le culture. Artemisia Gentileschi ne indossa una nell'*Autoritratto come allegoria della Pittura* (dipinto a Londra): tuttavia la maschera non le copre il viso ma è un gioiello, un ciondolo che oscilla liberamente mentre l'artista si china in avanti per dipingere. Essa inserì nel quadro questo piccolo simbolo perché, secondo le convenzioni, era uno degli oggetti associati alla personificazione della pittura nella storia dell'arte. Fra gli altri attributi c'erano un bavaglio per mostrare che la pittura era un'arte muta, una veste di seta variopinta per indicare l'uso del colore, un pennello e una tavolozza. Inoltre la Pittura doveva avere la fronte imperlata di sudore per esprimere l'agitazione creativa (elemento utilizzato anche da Van Dyck nell'*Autoritratto* a p. 59). Questi attributi della pittura erano elencati nell'*Iconologia* di Cesare Ripa, un dizionario di figure allegoriche pubblicato per la prima volta nel 1593. Ripa aveva costruito le sue allegorie basandosi su varie fonti storiche, compresa la Grecia classica, dove le maschere venivano utilizzate nelle rappresentazioni teatrali: in questo modo lasciava intendere che i pittori, come gli attori, dovevano perfezionare la capacità di imitare la vita.

Di solito gli autoritratti mostrano i pittori in posizione frontale, sia per tradizione sia per logica: è molto più facile riprodurre i propri lineamenti con accuratezza guardando direttamente in uno specchio. Artemisia ha scelto invece una posa molto più problematica, inclinata verso lo spettatore e con il viso di sbieco. Può essere riuscita a ritrarsi in quel modo soltanto grazie a un complicato sistema di specchi orientati. Il tema sotteso al dipinto è la fatica degli artisti. La tavolozza viene spinta verso di noi, stretta nel pugno chiuso appoggiato a una pietra liscia, la superficie sulla quale i pittori macinavano i pigmenti. L'artista indossa un grembiule marrone, il braccio destro è muscoloso e il polso robusto, a indicare una vita di lavoro manuale. È significativo che Artemisia non abbia incluso nella composizione il bavaglio previsto da Cesare Ripa: avrebbe indicato sottomissione, non certo il messaggio che voleva comunicare questa pittrice che si era fatta strada in un mondo artistico dominato dagli uomini.

Il pennello di Artemisia è a mezz'aria sopra la tela: si è ritratta in un momento sospeso fra l'osservazione e la rappresentazione. È, questa, la parte più eccitante, incerta e frustrante dell'atto creativo del pittore – come tracciare col pennello un segno che trascriva in modo accurato e significativo un aspetto del mondo reale in continuo cambiamento: in pratica il tentativo di usare l'imitazione, e quindi un'immagine falsa, per comunicare idee autentiche. La maschera indossata dalla Pittura ci ricorda questo conflitto. Come scrisse Cesare Ripa: "Gli antichi dimandavano imitazione quel discorso che, ancorché falso, si faceva colla guida di qualche verità successa".

Le maschere vengono utilizzate anche nel teatro giapponese: il *netsuke* con la maschera di Hannya esposto al Metropolitan Museum rappresenta un demone femminile che compare nelle rappresentazioni del teatro *nō* e del teatro *kyōgen*. I *netsuke* giapponesi sono piccole sculture ornamentali che pendono dalle vesti tradizionali degli uomini giapponesi.

ALTRE OPERE IMPORTANTI

Maschera d'oro di Agamennone (civiltà greca), 1550-1500 a.C., Atene, Museo Archeologico Nazionale

Maschera tragica maschile di terracotta (civiltà romana), III-II sec. a.C., Londra, British Museum

Maschera pettorale della regina madre *(iyoba)*, XVI sec., New York, Metropolitan Museum of Art

Nicolas Poussin, *Il trionfo di Pan*, 1636, Londra, National Gallery

Netsuke della maschera
di Hannya, XIX sec.
Legno, h. 3,2 cm
New York, Metropolitan
Museum of Art

Questo *netsuke*
rappresenta una maschera
che sarebbe stata
indossata da Hannya, che
nel teatro giapponese è la
manifestazione demoniaca
della gelosia femminile.
Nonostante le piccole
dimensioni, i lineamenti
distorti del volto sono
rappresentati con grande
attenzione al dettaglio.

BILANCIA

Le bilance a due piatti sono quasi sempre rappresentate in mano a
qualcuno: sono simbolo di giudizio e, per estensione, dell'equanimità,
dell'equilibrio e dell'imparzialità del giudice. Nell'iconografia egizia
era molto comune la scena di Osiride che pesava le anime nella Sala
del Giudizio; un cuore umano (che rappresentava l'anima) veniva
messo su un piatto della bilancia, e sull'altro una piuma: se era più
pesante veniva condannato e se era più leggero poteva proseguire
nell'aldilà. Nell'iconografia cristiana, nelle scene del Giudizio
universale, san Michele è spesso rappresentato con una bilancia per
pesare le anime dei defunti e indirizzarle verso il paradiso o l'inferno:

Johannes Vermeer
La pesatrice di perle,
ca. 1664
Olio su tela,
39,7 x 35,5 cm
Washington,
National Gallery

**In questo dipinto
Vermeer attira
con astuzia la nostra
attenzione sulla bilancia,
ponendola nel punto di
fuga della composizione e
allineandola con le linee
centrali verticali
della cornice del quadro
e della gamba del tavolo.**

un ruolo a volte affidato a Ermes/Mercurio nell'arte greco-romana. Le bilance a due bracci compaiono in mano alle allegorie della giustizia e a uno dei quattro cavalieri dell'Apocalisse.

Nel quadro di Vermeer *La pesatrice di perle* i piatti della bilancia sono quasi allo stesso livello e vengono osservati con attenzione dalla donna al centro di questo impeccabile interno olandese. Il dipinto mette in mostra la notevole abilità dell'artista con i colori a olio e in particolare la resa degli effetti di luce attraverso minuscole pennellate e schegge di pigmento, che imitano alla perfezione i riflessi sui vari materiali. A quale scopo? *La pesatrice di perle* non rappresenta un evento fondamentale della storia o della religione, ma un episodio ordinario: è una porta aperta su un tranquillo interno del Seicento olandese. Il simbolo della bilancia, però, insieme alla scena del Giudizio universale appesa alla parete dietro la donna, suggerisce un messaggio nascosto sotto la superficie.

Vermeer era un pittore cattolico in un paese protestante, la Repubblica olandese. Non aveva la possibilità di dipingere grandi scene religiose commissionate dalla Chiesa, dato che secondo il protestantesimo l'arte contravveniva ai precetti biblici riguardanti l'idolatria. Vermeer quindi nascose i propri sentimenti religiosi nella monotonia di scene quotidiane, che erano i soggetti artistici più popolari per le ricche classi mercantili e professionali olandesi, affamate di opere d'arte. *La pesatrice di perle* potrebbe passare per il ritratto di un'attività banale, ma si può interpretare anche come un'allegoria delle vanità della vita. La donna, vestita in modo decoroso, che distoglie lo sguardo dallo **specchio** davanti a sé, potrebbe essere considerata una rappresentazione della virtù. La bilancia occupa il centro esatto della composizione e divide la metà materiale da quella spirituale della scena. Intanto i piatti oscillano leggermente fra le due mentre noi, gli spettatori, siamo invitati a chiederci a quale potrebbe appartenere la nostra anima.

ALTRE OPERE IMPORTANTI

Pagina del Libro dei Morti di Ani (Egitto), ca. 1275 a.C., Londra, British Museum

Pittore di Siracusa (attr.), *Psicostasia di Ermes* (Grecia), 490-480 a.C., vaso di ceramica, Boston, Museum of Fine Arts

Hans Memling, *Il Giudizio universale*, ca. 1471, Danzica, Museo Nazionale

Albrecht Dürer, *Apocalisse*, 1497-98, Londra, British Museum

SPADA

Nella storia dell'arte occidentale la spada è un simbolo
di coraggio maschile, autorità e giustizia mentre nel buddismo
e nel taoismo rappresenta il distacco dall'ignoranza e dal male
e dunque l'intelligenza spirituale. Essendo l'arma dei re e degli
aristocratici, rimanda al loro diritto di governare, difendere l'onore
e dispensarlo, un significato ancora presente nelle "spade di Stato"
di rappresentanza e nelle cerimonie di cavalierato.

Il dipinto *San Michele trionfa sul demonio*, che probabilmente
costituiva la parte centrale di una pala d'altare, si basa sulle
convenzioni dell'iconografia tradizionale. Fu dipinto in Spagna quasi
al culmine della *reconquista*, la guerra civile in cui la popolazione
musulmana (presente nella Penisola iberica fin dall'VIII secolo)
fu sconfitta dai cristiani. C'è una chiara analogia con il soggetto del
quadro: san Michele Arcangelo combatte per conto di Dio contro gli
angeli ribelli guidati da Satana, rappresentato in questo caso da un
demone mostruoso. La spada brandita da san Michele per sferrare
il colpo decisivo contro Satana è un simbolo della giustizia divina.

Nel pannello destro dell'opera *40 Acres of Mules* di Kara Walker
compare una spada infilata nel fodero, che pende dalla cintura
di un ufficiale confederato. Come in molti altri elementi del quadro,
e come accade in generale nell'opera di questa artista, l'iconografia
è però stata sovvertita con intenti satirici. La Walker si è ispirata
alle enormi teste di tre comandanti confederati della guerra
di Secessione scolpite nella Stone Mountain, in Georgia: Jefferson
Davis, Robert E. Lee e "Stonewall" Jackson. Nel parco di Stone
Mountain i membri del Ku Klux Klan si incontravano e bruciavano
croci. Il titolo del disegno si riferisce a "quaranta acri e un mulo":
la promessa – poi disattesa – fatta agli schiavi liberati negli anni
Sessanta dell'Ottocento.

L'artista in quest'opera attinge alle rappresentazioni
convenzionali della Crocifissione. La forma del trittico richiama
le pale d'altare europee e nella sezione centrale una figura linciata
viene trafitta sotto la bandiera confederata con la croce, in modo
simile a Gesù. Al posto dei santi e dei romani preposti all'esecuzione
ci sono membri del Ku Klux Klan, soldati bianchi, donne, asini

Bartolomé Bermejo
San Michele trionfa
sul demonio, 1468
Olio e oro su tavola,
179,7 x 81,9 cm
Londra, National Gallery

**La figura inginocchiata
è il committente
del quadro Antoni Joan,
signore della città
di Tous, vicino a Valencia.
È concentrato sulla spada
di San Michele pronta
a colpire il drago e tiene
una spada più piccola
nell'incavo del gomito,
simbolo della sua nobiltà.**

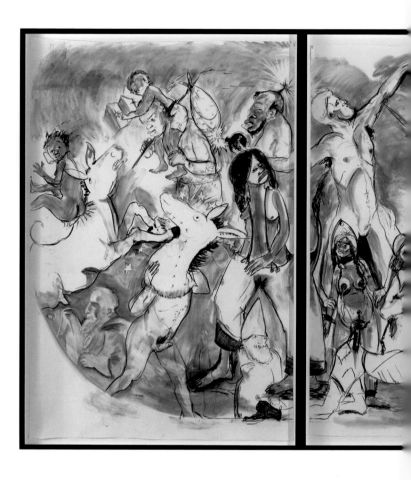

e cavalli impennati. Qualsiasi grandiosità potessimo associare
alla Crocifissione qui è degenerata in un'orgia scatenata di evirazioni,
violenze sessuali e sadismo razzista.

Secondo Kara Walker il corpo nero martoriato al centro
della composizione rappresentava

"una minaccia sostanziale dal punto di vista sociale, psicologico
e sessuale, che doveva essere distrutta, come infatti avvenne.
Il corpo nero non avrebbe mai potuto morire in modo abbastanza
soddisfacente perché la classe dominante bianca potesse trarre
un sospiro di sollievo. Quel corpo rappresenta tutti i corpi
oppressi o soggetti a quel tipo di tortura psicosessuale".

Kara Walker
40 Acres of Mules, 2015
Carboncino su carta
Pannelli di misure
differenti da sinistra
a destra:
264,2 x 182,9 cm
261,6 x 182,9 cm
266,7 x 182,9 cm
New York, Museum
of Modern Art (MoMA)

La spada nel fodero nel pannello di destra è un simbolo amaramente ironico: non più strumento di onore e integrità, ma arma di brutalità razzista.

ALTRE OPERE IMPORTANTI

Donatello, Monumento equestre al Gattamelata, 1453, Padova, Piazza del Santo

La battaglia di Badr, dal *Siyar-I Nabi (Vita del Profeta)* di Mustafa Darir, ca. 1594, manoscritto, Londra, British Museum

Artemisia Gentileschi, *Giuditta e Oloferne*, ca. 1612, Napoli, Museo Nazionale di Capodimonte

Jean-Michel Basquiat, *Warrior*, 1982, collezione privata

TROMBA

Una mattina all'alba
Dio chiamerà Gabriele,
l'angelo alto e luminoso,
e gli dirà: Gabriele,
soffia nella tua tromba d'argento,
e desta le nazioni dei viventi.
E Gabriele risponderà: Signore,
con quanta forza dovrò soffiare?
E Dio gli dirà: Gabriele,
soffia piano, soffia dolcemente.
Piantando un piede in cima alla montagna,
e l'altro in mezzo al mare,
Gabriele suonerà allora la sua tromba,
per destare le nazioni dei viventi.

Questo è un frammento della poesia *Il Giudizio universale* di James Weldon Johnson, del 1927, ispirata dall'abilità oratoria di un predicatore nero di Kansas City. Aaron Douglas era un amico e un membro, come lui, del movimento della Harlem Renaissance, e Johnson gli chiese di illustrare i suoi versi. Il dipinto di Douglas rappresenta l'**angelo** Gabriele che avanza fra **fulmini** e tempeste e soffia nella tromba per richiamare le anime del mondo fuori dai nascondigli terreni per sottoporsi al Giudizio divino. Lo stile di Douglas era influenzato dal cubismo e dal futurismo, ma anche dalla scultura africana e dall'iconografia egizia, ed è facile identificare la risonanza della cadenza vigorosa di Johnson nelle fasce di colore in movimento e nella postura decisa del protagonista.

Le trombe in generale simboleggiano la trasmissione di un messaggio, come nelle immagini degli angeli che annunciano il giorno del Giudizio. Nell'arte europea, la tromba è l'attributo dell'allegoria della Fama, delle muse come Clio (si veda *L'arte della Pittura* di Vermeer a p. 42) e degli araldi nei trionfi romani. Tritone, divinità marina che accompagna Poseidone/Nettuno, è spesso rappresentato nell'atto di annunciare la gloria del suo signore soffiando in una **conchiglia**.

Aaron Douglas
Il giorno del Giudizio, 1939
Olio su masonite
temperata,
121,9 x 91,4 cm
Washington,
National Gallery

L'angelo gigante nel dipinto di Douglas suona una tromba, rievocando la descrizione del Giudizio universale nell'*Apocalisse*, secondo la quale nel settimo giorno la fine del mondo sarà annunciata da squilli di tromba che causeranno ciascuno un diverso cataclisma.

ALTRE OPERE IMPORTANTI

Derviscio con corno e ciotola per l'elemosina (Iran),
    inizio XVII sec., Londra, British Museum
Sir Edward Coley Burne-Jones, *La scala d'oro*, 1880, Londra, Tate
Vasilij Kandinskij, *Ognissanti I*, 1911, Monaco,
    Städtische Galerie im Lenbachhaus
Max Beckmann, *Carnevale*, 1920, Londra, Tate

OROLOGIO

La clessidra compare per la prima volta nell'arte europea durante il Medioevo. Il significato simbolico è evidente: rappresenta il trascorrere del tempo, la transitorietà della vita e l'inevitabilità della morte. Cronometri, meridiane, orologi a lancette e altri tipi di strumenti per misurare il tempo hanno di solito il medesimo significato. Sono spesso presenti nelle nature morte con *vanitas* e in mano a personificazioni della Temperanza, della Morte o del Tempo.

Una clessidra compare nell'angolo in alto a destra dell'opera *Melencolia I*, creata a Norimberga nel 1517. È uno dei simboli usati da Dürer nei suoi *Meisterstiche* (incisioni maestre), che comprendevano *Melencolia I* e altre due stampe coeve, *Il cavaliere, la morte e il diavolo* (1513) e *San Girolamo nella cella* (1514). Chiaramente la clessidra aveva un significato speciale.

Melencolia I ha suscitato infiniti dibattiti e per certi versi rimane un mistero. È un'immagine enigmatica, che da un lato gratifica lo spettatore con la raffinatezza dell'incisione e dall'altro lo tormenta con simboli complessi e criptici, fra cui la clessidra. Anche le domande più basilari restano senza risposta, come quella sull'identità della figura centrale, che potrebbe essere un angelo oppure un'allegoria. In quest'ultimo caso sorgono altri dubbi: potrebbe rappresentare la Malinconia o la Geometria, oppure un altro concetto ancora non identificato. Gli studiosi non sono concordi.

Anche la causa della sua tristezza rimane ignota, così come la natura degli eventi che si svolgono in cielo e che potrebbero rappresentare una cometa oppure una luna luminescente. Gli scrittori continuano a interrogarsi sulle fonti di ispirazione di Dürer, che comprendono le idee di Copernico, l'alchimia, la filosofia platonica, i testi medici e l'astrologia. Tutti si riduce all'incertezza sul significato dei simboli presenti nell'immagine e la clessidra partecipa di questo mistero. È uno strumento di misurazione, analisi e creazione proprio come gli altri oggetti sparsi sulla scena? È la causa stessa del dolore, oppure vuole offrire consolazione perché le delusioni sono soltanto temporanee?

Albrecht Dürer
Melencolia I, 1514
Incisione, 24,2 x 18,8 cm
Washington, National Gallery

Questa incisione è così carica di ambiguità che alcuni studiosi si chiedono se non sia volutamente irrisolvibile: uno scherzo sofisticato sui limiti del simbolismo e dell'allegoria. La clessidra vuole forse indicare la limitatezza del tempo disponibile per risolvere e creare?

Hannah Höch
Das schöne Mädchen, 1920
Fotomontaggio,
35 x 29 cm
Collezione privata

**Le lancette dell'orologio
sono un *memento mori*,
che ci ricorda
la disumanità dei processi
industriali: la regolarità
che scandisce le giornate
di lavoro e la pressione
della produttività.**

Das schöne Mädchen di Hannah Höch ci presenta un'iconografia moderna, adatta a un ventesimo secolo industrializzato, con loghi aziendali, l'asta di una manovella, un copertone, una lampadina, acconciature femminili alla moda e un orologio da taschino. Coglie alcuni aspetti del cambiamento del ruolo femminile nell'ambiente meccanizzato e in rapida evoluzione della Repubblica tedesca di Weimar. Le donne venivano impiegate sempre più spesso come forza lavoro, però ci si aspettava che soddisfacessero anche le aspettative sui ruoli e sui comportamenti femminili tradizionali.

Il contrasto fra l'immagine stereotipata di una ragazza in costume da bagno e l'ambiente industrializzato che la circonda esprime l'oscillazione dei ruoli sociali. Il tema della rivoluzione è enfatizzato dal fatto che in questa immagine tutte le ruote e gli ingranaggi sono in movimento: perfino i loghi della BMW, che originariamente dovevano rappresentare un'elica bianca che girava davanti a un cielo blu. Il quadrante dell'orologio da taschino non è coperto come le facce dei personaggi umani e forse ha lo stesso ruolo della clessidra nell'incisione di Dürer: simboleggia uno strumento di misurazioni e aspettative oppressive.

ALTRE OPERE IMPORTANTI

Nicolas Poussin, *Danza della vita umana*, 1634-66, Londra, Wallace Collection

Harmen Steenwyck, *Allegoria delle vanità della vita umana*, ca. 1640, Londra, National Gallery

Dante Gabriel Rossetti, *Pia de' Tolomei*, 1868-80, Lawrence, Spencer Museum of Art

Salvador Dalí, *La persistenza della memoria*, 1931, New York, Museum of Modern Art

SPECCHIO

Gli specchi hanno una particolare risonanza con gli artisti
di moltissime epoche e regioni differenti, non soltanto perché
sono strumenti utili per il loro lavoro, ma anche perché hanno
essenzialmente lo stesso compito: riprodurre l'ambiente visivo.
Gli specchi più antichi di cui si ha notizia risalgono al sesto millennio
a.C. e sono dischi lucidati di ossidiana, una pietra vulcanica estratta
da **montagne** considerate sacre, ritrovati nell'insediamento neolitico
di Çatalhöyük in Turchia. I primi dipinti che raffigurano persone con
uno specchio in mano risalgono all'antico Egitto, intorno al secondo
millennio a.C. In epoca successiva, nelle sculture greco-romane
la dea dell'amore Afrodite/Venere veniva mostrata mentre guardava
uno specchio per ammirare la propria straordinaria bellezza.

Nel corso del tempo gli specchi nell'arte europea sono stati
associati a determinati vizi e virtù, come le qualità della sincerità
e della purezza (perché lo specchio riflette senza ingannare),
ma anche il difetto della vanità (perché incoraggia l'ossessione
nei confronti di se stessi). In Europa gli specchi sono stati anche
utilizzati per scopi occultisti: i riflessi venivano interpretati
alla ricerca di segni divinatori. In Asia un tempo gli specchi erano
considerati oggetti magici, in grado di percepire le anime
delle persone, ed erano decorati con immagini di buon augurio.
In Giappone lo specchio è una delle tre sacre insegne imperiali.

Nel dipingere la dea Afrodite/Venere, Diego Velázquez infranse
alcune convenzioni: una delle innovazioni fu ritrarla di spalle
(era tradizione rappresentare la dea di fronte, come nella *Venere in
Conchiglia* a p. 138), un'altra fu la distorsione del riflesso nello specchio
sorretto dal figlio Cupido/Eros. La dea contempla noi piuttosto che
se stessa, ricambiando provocatoriamente il nostro sguardo.

Diego Velázquez
Venere Rokeby,
ca. 1647-51
Olio su tela, 122 x 177 cm
Londra, National Gallery

Anziché delineare
la favolosa bellezza
di Venere, qui Velázquez
la rappresenta un po'
sfocata, per sottolineare
la sua mistica
irraggiungibilità oppure
per altri motivi personali:
forse per nascondere
l'identità della donna
che aveva posato per lui.

Teschio a mosaico
di Tezcatlipoca
(civiltà azteca),
ca. XV-XVI sec. d.C.
Turchese, pirite, pino,
lignite, ossa umane,
pelle di cervo, conchiglia
di strombo e agave,
19 x 13,9 x12,2 cm
Londra, British Museum

**Di solito Tezcatlipoca
è rappresentato con uno
specchio di ossidiana,
ma qui bastano le tessere
di lignite nera e gli occhi
di pirite lucidissima
per comunicare
l'autorità oracolare
e purgatoriale del dio.**

L'aspetto magico degli specchi è evidente in questo teschio
a mosaico di Tezcatlipoca, conservato al British Museum. Questa
divinità azteca – il dio dello specchio fumante – era una delle
più importanti e l'antagonista di Quetzalcoatl (si veda il serpente
a due teste a p. 100). Era l'onnipotente dio dell'ossidiana nera.
I coltelli per i sacrifici erano fatti di ossidiana, che era utilizzata
anche per fabbricare gli "specchi neri" per la divinazione, che più
tardi avrebbero affascinato gli spettatori europei. In conseguenza
di queste associazioni Tezcatlipoca venne considerato l'iniziatore del
rito dei sacrifici umani, il signore del destino dotato di onniscienza.

ALTRE OPERE IMPORTANTI
Jan van Eyck, *Ritratto dei coniugi Arnolfini*, 1434, Londra,
  National Gallery
Tiziano, *Venere allo specchio*, 1555, Washington, National Gallery
Caravaggio, *Marta e Maria Maddalena*, 1598, Detroit,
  Detroit Institute of Arts
Joan Jonas, *Mirror Piece I*, 1969, New York, Guggenheim Museum

\-

L'uomo passa attraverso
selve di simboli
che lo osservano
con sguardi familiari.

\-

Charles Baudelaire, *Corrispondenze*
da *I fiori del male*, 1857

GLOSSARIO

Agni: in sanscrito la parola significa "fuoco", ma si riferisce anche al dio del fuoco indù che vive nella fiamma rituale.

Alchimia: antenata della moderna chimica, studiava la metamorfosi dei materiali e aveva lo scopo di trasformare la materia ordinaria in oro. Gli alchimisti utilizzavano un sistema di simboli che a volte veniva applicato anche alle arti visive.

Allegoria: nell'arte è la rappresentazione dei concetti astratti attraverso una forma concreta, come la figura umana o una serie di oggetti.

Ankh: un simbolo dei geroglifici egizi formato da una croce sormontata da un anello, che rappresentava la vita.

Apocalisse: l'ultimo libro del Nuovo Testamento cristiano, detto anche *Libro della Rivelazione*. Profetizza la fine del mondo e descrive nel dettaglio le catastrofi che la accompagneranno.

Apsaras: danzatrice rappresentata nell'arte indiana. Originariamente nella religione vedica era uno spirito acquatico, poi diventato anche musicista.

Attributo: oggetto associato alle allegorie, alle divinità e ad altre figure religiose per consentire agli spettatori di identificarle.

Aureola: alone di luce intorno alla testa o all'intera figura di un personaggio.

Barocco: stile artistico europeo nato a Roma nel XVII secolo. Era caratterizzato dall'uso teatrale dello spazio, dalla ricerca dell'impatto psicologico e dal senso di movimento e di grandiosità.

Bodhisattva: nel buddismo, una persona che ha raggiunto l'illuminazione, ma sceglie di restare tra i mortali per guidarli nel loro percorso verso la salvezza.

Canone, canonico: nella storia dell'arte, indica un insieme di opere d'arte, artisti o tecniche che hanno ricevuto un'approvazione formale e vengono considerate significative o definitive.

Cartiglio: cornice ovale che racchiude il nome in geroglifici
di un faraone egizio.

Cornucopia: corno traboccante di fiori, ortaggi e frutti, che
simboleggia l'abbondanza.

Cubismo: stile nato all'inizio del XX secolo con Pablo Picasso
e Georges Braque, che volevano mostrare la vita da prospettive
differenti nello stesso momento, frammentando le forme naturali
in strutture geometriche e sperimentando con la tecnica del collage.

Dharmachakra: figura a forma di ruota utilizzata in India e presente
anche nel simbolismo religioso indù e buddista per indicare
il cambiamento, la saggezza e la natura ciclica del tempo.

Emblemata: repertori di simboli per le arti visive. Il primo fu scritto
dall'italiano Andrea Alciato nel 1531. Servivano come dizionari
di riferimento per gli artisti.

Futurismo: movimento italiano nato all'inizio del XX secolo, che si
concentrava sulla velocità e la potenza della moderna tecnologia.

Geroglifici: forma di scrittura composta da segni e immagini
corrispondenti a parole o sillabe, utilizzata in particolare
nell'antico Egitto.

Greco-romano: relativo alle culture dell'antica Grecia e dell'impero
romano.

Iconografia: nella storia dell'arte è lo studio dei soggetti delle opere
e della loro interpretazione e comprende lo studio dei simboli.

Ichthys: simbolo del cristianesimo a forma di pesce, molto usato
nelle catacombe. La parola greca *ichthýs*, che significa "pesce"
è infatti un acrostico delle parole greche che formano l'espressione
"Gesù Cristo Figlio di Dio Salvatore".

Land Art: movimento del tardo Novecento, i cui seguaci realizzano
opere d'arte come hanno per tema la natura utilizzandone
direttamente i materiali, invece di rappresentarla.

LGBT: movimento a favore dei diritti delle persone lesbiche, gay,
bisessuali, transgender e di altri generi e orientamenti sessuali.

Mandala: rappresentazione schematica dell'universo, utilizzata per la meditazione nell'induismo e nel buddismo.

Mandorla: alone a forma di mandorla che circonda la figura di una divinità.

Massonico: relativo alla fratellanza massonica internazionale, che ha un suo particolare sistema di simboli.

Memento mori: oggetto che ricorda la transitorietà della vita e l'inevitabilità della morte, come un teschio.

Mesopotamia: area dell'Asia sudoccidentale (corrispondente all'odierno Iraq, a parti della Turchia e della Siria) ritenuta di grande importanza per lo sviluppo della civilizzazione urbanizzata in Eurasia.

Mitraismo: religione basata sul culto della divinità persiana Mitra, diffusa fra le popolazioni soggette all'Impero romano fra il I e il III secolo a.C.

Moghul, impero: dinastia musulmana che dominò l'India settentrionale fra il 1526 e il 1857.

Pellegrinaggio: viaggio verso una meta dal significato religioso.

Personificazione: rappresentazione di un concetto in forma umana.

Pittogramma: simbolo utilizzato nella segnaletica per indicare qualcosa in modo immediatamente riconoscibile, ad esempio un incrocio attraverso una croce.

Precolombiano: il periodo e le culture esistenti nelle Americhe prima dell'arrivo di Cristoforo Colombo e degli altri esploratori europei.

Preraffaelliti, Confraternita dei: movimento artistico britannico sviluppatosi nella seconda metà del XIX secolo, che emulava l'arte medievale e del primo Rinascimento e dava grande importanza all'uso dei simboli nella pittura.

Punto di fuga: nelle immagini che rappresentano la profondità spaziale da un unico punto di vista, le linee parallele che si estendono in direzione opposta rispetto allo spettatore sembrano convergere nel punto più lontano da lui. Il punto in cui si incontrano è chiamato punto di fuga.

Putto: figura di bambino paffuto utilizzata prevalentemente nell'arte europea per rappresentare sensualità o giocosità.

Rebus: un enigma figurativo in cui una parola o una frase viene rappresentata da un'immagine o una sequenza di immagini. Si risolve nominando ad alta voce le immagini.

Rinascimento: periodo di grande sviluppo intellettuale e artistico ispirato al mondo classico, che ebbe luogo in Europa approssimativamente fra il 1400 e il 1580. Fra gli artisti rinascimentali più famosi ci furono Michelangelo, Leonardo da Vinci, Raffaello e Dürer.

Royal Academy: un'accademia è una scuola d'arte. Le prime furono aperte durante il Rinascimento. In queste istituzioni lo stile classico era considerato il modello di riferimento ideale. In alcuni paesi, come il Regno Unito, la monarchia sosteneva direttamente queste scuole.

Shen, anello: antico simbolo egizio formato da un cerchio e da una linea diritta tangente al di sotto o di fianco, che rappresentava il concetto di protezione.

Shintoismo: religione indigena giapponese basata sulla devozione alle forze divine (*kami*) che si celano in ogni fenomeno naturale e sul culto degli antenati.

Sublime: concetto relativo alla pittura di paesaggio, reso popolare da Edmund Burke nel XVIII secolo per definire il senso di reverenza, umiltà e terrore che si prova davanti all'immensità o all'ostilità dei fenomeni naturali.

Sumero: relativo alla popolazione dei Sumeri, stanziata nell'attuale Iraq meridionale, la cui civiltà fiorì fra il 3500 circa e il 1900 a.C.

Surrealismo: movimento artistico del XX secolo, ispirato alla psicologia e affascinato dai sogni e dall'irrazionalità della mente umana.

Ukiyo-e: significa "immagini del mondo fluttuante" e indica un tipo di stampe realizzate in Giappone fra il XVII e il XIX secolo. Erano opere d'arte popolare, i cui soggetti rappresentavano scene di vita quotidiana, paesaggi e temi tratti dal folklore o dalle leggende.

Ureo: motivo di cobra che si erge prima di colpire, utilizzato sui copricapi dei faraoni egizi per indicare l'autorità di governare.

Vajra: arma simbolica che nel buddismo e nell'induismo racchiude le proprietà del fulmine e del diamante.

Vanitas: un genere artistico o un simbolo all'interno di un'opera d'arte che serve a ricordare la futilità dei beni terreni, della ricchezza e del successo mondano.

Video art: arte che utilizza immagini in movimento registrate (sotto forma di riprese video e televisive).

Wedjat: immagine stilizzata molto frequente nell'antico Egitto, che rappresentava l'occhio di Horus e si riteneva avesse poteri taumaturgici.

Yin e yang: dualismo di forze nell'antica filosofia cinese, che si manifesta in coppie binarie come luce e buio, negativo e positivo, maschile e femminile. Si credeva che l'unità di queste forze fosse portatrice di armonia.

Zoroastrismo: antica religione persiana (tuttora praticata) basata sugli insegnamenti del profeta Zoroastro (chiamato anche Zarathustra e Zardusht). Gli inizi dello zoroastrismo non sono facilmente databili: potrebbe risalire al 1000 a.C. o a epoche precedenti, anche se alcuni studiosi propongono una data successiva, fra il VII e il VI sec. a.C.

APPROFONDIMENTI

Archive for Research in Archetypal Symbolism, *Il libro dei simboli. Riflessioni sulle immagini archetipiche*, Colonia 2011

Matilde Battistini, *Simboli e allegorie*, Milano 2002

Jean Campbell Cooper, *Enciclopedia illustrata dei simboli*, Padova 1987

Alfredo Cattabiani, *Florario. Miti, leggende e simboli di fiori e piante*, Milano 2017 (2001)

Jean Chevalier, Alain Gheerbrant, *Dizionario dei simboli. Miti, sogni, costumi, gesti, forme, figure, colori, numeri*, 2 voll., Milano 2014 (1992)

Ernst Gombrich, *Immagini simboliche. Studi sull'arte nel Rinascimento*, Milano 2002

René Guenon, *Simboli della scienza sacra*, Milano 1990

James Hall, *Dizionario dei soggetti e dei simboli nell'arte*, Milano 1993

Georges Jean, *Il linguaggio dei segni. La scrittura e il suo doppio*, Milano 1994

Carl Gustav Jung, *L'uomo e i suoi simboli*, Milano 2019 (1983)

Desmond Morris, *Postures: Body Language in Art*, London 2019

Erwin Panofsky, *Studi di iconologia. I temi umanistici nell'arte del Rinascimento*, Einaudi 2009

Erwin Panofsky, *Il significato nelle arti visive*, Einaudi 2010

Rowena Shepherd, Rupert Shepherd, *1000 symbols. What shapes mean in art and myths*, Londra 2002

Vincent van Gogh, *Lettere*, disponibili integralmente su vangoghletters.org

Roelof van Straten, *Introduzione all'iconografia*, a cura di R. Cassanelli, Milano 2009

DICE DEI NOMI

erimenti principali
.ho in **grassetto**,
Ilustrazioni in *corsivo*.

qua **10-13**, 15, 16, 22,
  74, 92, 138
dams, Norman 21
frodite, *vedi* Venere
gar, Eileen 139
gesandro 101
chimia 27, 158, 167
lessandro Magno 102
lexander, Jane 98-99,
  99
pro 38, **42-43**, 53, 142
geli 16, 44, 124, **130-33**
gelico, Beato 73
ila 20, 65, **66-69**,
  70, 72
o e frecce **140-41**
baleno **20-21**, 22
noka 95
urbanipal 95, 140
nadoro, 101
elio, Marco 102
eola 16, 132, **134-35**,
  145

acon, Mary Anne 57
Banksy **65**
Basquiat, Jean-Michel
  155
Beccafumi, Domenico 79
Beckmann, Max 157
Beethoven, Ludwig
  van 96
Bellini, Giovanni *36*, 50,
  52, 52-53
Bembo, Bernardo 43
Benci, Ginevra de' 43
Bermejo, Bartolomé
  152, *153*
Bernini, Gian Lorenzo 43
bilancia **150-51**
Blake, William 23, 108-9,
  109
Böcklin, Arnold 41
Bonaparte, Napoleone
  66, 74, 102-03, *103*,
  119, 145
Bosch, Hieronymus 113
Botticelli, Sandro 16,
  18-19, 21, 50, 119,
  138, 139

Botticini, Francesco 132
Bouts, Aelbert (bottega
  di) 144-45, *144*
Breton, André, 27
Bronzino, Agnolo 140-41,
  141, 173
Brown, Ford Madox 117
Burne-Jones, Sir Edward
  108, 157
Buddha 16, 46, 48, 72,
  95, *116*, 117, *118*, 119,
  122, 123, 129, *134*,
  135

Campin, Robert 15, 44-
  45, *45*
cane **88-91**
Canova, Antonio 43
Caravaggio 51, 101, 117,
  117, 126, 139, 165
Carlo I, re d'Inghilterra
  58, 59
Casas, R. 100-01, *101*
cavallo **102-05**, 108
cervo **86-87**
Chitarman 132-33, *133*
Cibber, Caius Gabriel
  74-75, *75*
cipresso **40-41**, 74
colomba 20, 24, 51,
  64-65, 70
conchiglia 92, **138**
Conner, Lois 48
Constable, John 17
corona 24, **142-45**
Correggio, Antonio da 17
Cossa, Francesco del 129
Craig-Martin, Michael 12
Cranach il Vecchio, Lucas
  101
cranio **114-15**
Cristo, *vedi* Gesù
Crivelli, Carlo 73
Cummins, Paul 57
Cupido 79, 82, 140, 141,
  141, 162

Dalí, Salvador 161
Darwin, Charles 98
Das, Kesu 77
David, Jacques-Louis 69,
  102-03, *103*, 119, 145
Delvaux, Paul 113
De Maria, Walter **23**

Dinteville, Jean de 144
Donatello 155
Douglas, Aaron *136*,
  156-57, *157*
drago 16, 29, 74, **106-09**
Durán, Diego 10
Dürer, Albrecht 95, 151,
  158-59, *159*

Eakins, Thomas 126
El Greco *64*
Eliasson, Olafur 30, *31*
energia solare **58-61**
Ernst, Max *26*, 26-27, 58
Eros, *vedi* Cupido

falco 20, 65, 70, **76-77**
fama 156
fenice **74-75**, 76, 79,
  106, 108
fertilità 10, 23, 50, 53,
  65, 72, 92, 100
Fidia 69, 104
Francesco I, re di Francia
  140
Fréart de Chantelou,
  Paul 128
Freud, Sigmund, 27
fulmine **22-23**, 24, 69,
  170
fuoco 12, 29, **32-35**

Gan, Han 104-05, *105*
Gaozu 106
garofano **38-39**
gatto **82-85**, 88
Gentileschi, Artemisia
  146-48, *146*, *147*, 155
gesto 118, **122-23**, 145
gesto della mano **122-23**,
  145
Gesù 12, 20, 24, 38,
  39, 50, 51, 52, 53,
  56, 74, 82, 116, 117,
  124, 135, 139, 142,
  145, 154
Ghirlandaio, Domenico
  82
Gibbons, Grinling 53
giglio 38, **44-45**, 51, 69
Gillray, James 74
Giorgione 23
Giotto 35, 132
Goltzius, Hendrick 85

Gormley, Antony 132
Goya, Francisco de, 27,
  39, 71
gru 70, 76, **78-79**, 86
Gu, Gong 93
Guerrilla Girls 98
gufo **70-71**

Hals, Frans 115
Hamadani, Rashid al-Din
  92
Hideyoshi, Toyotomi 41
Hilliard, Nicholas 17
Hirst, Damien 115
Höch, Hannah 160-61,
  160
Hockney, David 45
Hogarth, William 38-39,
  38, *39*
Hokusai, Katsushika 12,
  14-15, *14*, 41
Holbein, Hans 113,
  114-15, *114*
Holt, Nancy 30
Hunt, William Holman
  82-83, *83*

Ice-T 66
Ingres, Jean-Auguste-
  Dominique 66

Johnson, James Weldon
  156
Jonas, Joan 165

K Foundation 35
Kahlo, Frida 87, 98,
  113, *113*
Kandinskij, Vasilij 21,
  104, 157
Kanō Eitoku 41, *41*
Kapoor, Anish 15
Kauffmann, Angelika *20*,
  20-21
Keli, Ren 95
Khan, Kublai 76
Kiefer, Anselm *8*, *34*,
  35, 51
Klimt, Gustav *80*, 96-98,
  96-97
Kuniyoshi, Utagawa 108,
  112, *112*

La Fosse, Charles de 60
Leonardo da Vinci 12, 39, 43, *43*, 53
leone **94-95**, 140
Lippi, Filippo 73
Lorenzetti, Pietro 51
Lorini del Monte, Niccolò 116
Lorrain, Claude 15
loto **46-49**, 95
luna 20, **24-27**, 29, 48, 115

Maestro della leggenda di santa Lucia 24-25, *25*
Maestro della morte di san Nicola di Münster 126
Magritte, René 129
mandala 48, *49*, 106, 168
mandorla 130, 135, 168
Manet, Édouard 85
Mantegna, Andrea 117, 119
Martini, Simone 45
Masaccio 93
maschera 139, 141, **146-49**
Masolino 130-31, *131*
Medici, Cosimo I de' 140
Memling, Hans 151
Michelangelo 30, 57, 70, 108, 119
Millais, John Everett 56-57, *56*
Millet, Francisque 23
Monet, Claude 30, montagna **14-15**, 23, 29, 162
Morgan, Evelyn de, 27
Morris, William 73
morte 7, 12, 23, 32, 39, 40, 48, 50, **56**, 57, *65*, 69, 70, 72, 87, 88, 97, 100, 112, *113*, 114, 115, 126, 158, 169

nascita 10, 12, 32, 44, 46, 48, 92, 106, *138*, 139
Nash, Paul 71
nuvola **16-19**, 20, 22, 106

occhio **128-29**
O'Keeffe, Georgia 115
orologio **158-61**

palma 38, 42, 43, **50-51**
papavero 38, 40, **56-57**, 70
pavone 69, **72-73**
Perry, Grayson 119, *120-21*
pesce **92-93**
Picasso, Pablo *65*
piede 46, **116-17**
Piero di Cosimo 90
Pinturicchio 77
Piper, Tom 57
Pisanello 87
Polidoro di Rodi 101
Polo, Marco 76
Posada, José Guadalupe 113
postura **118-21**
Poussin, Nicolas 69, 128, *128*, 148, 161
Preraffaelliti, Confraternita dei 50, 57
Pseudo-Dionigi 130

Qasim ibn Ali 106-08, *107*
Quinn, Marc 124-25, *125*

Raffaello 50, 79
Rauschenberg, Robert 69
Rembrandt 70, *70*
Reynolds, Sir Joshua 141
Riemenschneider, Tilman 123, *123*
rinascita, *vedi* nascita
Ripa, Cesare 147
Robert, Hubert, 41
Rossetti, Dante Gabriel 50-51, *51*, 57, 161
Rousseau, Henri, 27, 95
Rubens, Pieter Paul 16, 21, 35, 53, 72-73, *73*
Ruskin, John 37, 50, 82

Sahba, Fariborz 48
sangue 12, **124-27**, 145
Sargent, John Singer 39
Sasaki, Sadako 79
scheletro **112-13**
Schiele, Egon 60
scimmia **96-99**
Selve, George de 114
serpente 85, 98, **100-01**, 138
Sesostri **9**, 156

Sesostri II 77
Shah Jahan 132
Shakespeare, William 57
Shiva 14, 32, *33*, 35, 122, 142
Shonibare, Yinka 53, *54-55*
Siemiginowski-Eleuter, Jerzy 53
Solario, Andrea 39
sole 20, 24, 25, 26, **28-31**, 46, 48, 71
spada **152-55**
specchio 82, 151, **162-65**
Spencer, Sir Stanley 45
spine 51, 141, 142, *144*, 145
Steenwyck, Harmen 161
Steinlen, Théophile 85
stimmate *52*
Stubbs, George 104

Tacito 35
Tanning, Dorothea 58-61, *61*
Tatsuyuki, Imazu *62*, *72*
Tiepolo, Giovanni Battista 101
Tintoretto, Jacopo 68-69, *68*
Tiziano 65, 87, 95, 165
tromba 43, **156-57**
Turner, J. M. W. 12
Tutankhamon 46

Uccello, Paolo 108

Van de Venne, Adriaen Pietersz 21
Van der Helst, Bartholomeus 60
Van Dyck, Antoon 58-59, *59*, 90, 145, 147
Van Eyck, Jan 50, 68, 165
Van Gogh, Vincent 40-41, *40*, 60
Varma, Ravi 126
Velázquez, Diego 93, 162-63, *163*
Venere 65, 79, 86, 113, 138, *138*, 139, 140, 141, 162, 163, *163*, 165
Veneziano, Paolo 57
Vergine Maria *12*, 24,

25, 38, 44, *45*, 50, 51, 93
Vermeer, Johannes 42, 43, *42*, 150-51, *15*
Veronese, Paolo 43, 89, 90, *89*, 98, 141
Verrocchio, Andrea del
Viola, Bill 12, *13*
vite 50, 51, **52-55**

Wagner, Richard 12
Walker, Kara 152-55, *154-55*
Weenix, Jan 41
Wiley, Kehinde 66-69,
Wren, Sir Christopher 7
Wright, Joseph 21

Xuanzong 104

Yoshitoshi, Tsukioka 2

Zurbarán, Francisco de 45

—

A ORLA E GEORGE

—

Published by arrangement with
Thames & Hudson Ltd
181A High Holborn, London
WC1V 7QX

Titolo originale
Symbols in Art
© 2020 Thames & Hudson Ltd,
London
© Matthew Wilson

Progetto grafico
April

Editing
Caroline Brooke Johnson

Per l'edizione italiana
© 2021 24 ORE Cultura, Milano

Traduzione
Isabella Polli

Editing
Arianna Ghilardotti

Impaginazione
Fabio Lancini

Prima edizione settembre 2021
Prima ristampa ottobre 2023
ISBN 978-88-6648-457-8

Stampato in Cina

Copertina: Lucas Cranach il Vecchio, *Adamo ed Eva* (particolare), 1526, olio su tavola 117 x 80 cm, Londra, The Courtauld Gallery

Occhiello: *Principe con falco*, ca. 1600 (particolare di p. 76), Los Angeles, Los Angeles County Museum of Art

Aperture di capitolo: p. 8 Anselm Kiefer, *Mann im Wald*, 1971 (particolare di p. 34), San Francisco, Collezione privata; **p. 36** Giovanni Bellini, *San Francesco nel deserto*, ca. 1476-78 (particolare di p. 52), New York, Frick Collection; **p. 62** Imazu Tatsuyuki, *Pavoni e ciliegio*, ca. 1925 (particolare di p. 72), New York, Metropolitan Museum of Art; **p. 80** Gustav Klimt, *Fregio di Beethoven*, 1902 (particolare di p. 96), Vienna, Wiener Secessionsgebäude; **p. 110** *Chinnamastā*, XIX sec. (particolare di p. 127), Londra, British Museum; **p. 135** Aaron Douglas, *Il giorno del Giudizio*, 1939 (particolare di p. 156), Washington, National Gallery

Citazioni: p. 9 Samuel Taylor Coleridge, *Biographia Literaria*, London 1817, vol. I, p. 147; **p. 37** John Ruskin, *Modern Painters*, London 1856, vol. III, p. 101; **p. 63** William Blake, *The Complete Poems*, Harlow 1971, p. 113 (tr. it. Giuseppe Ungaretti, Milano 1936); **p. 40** Vincent van Gogh, lettera del 25 giugno 1889 al fratello Théo, vangoghletters.org; **p. 81** Jean C. Cooper, *An Illustrated Encyclopaedia of Traditional Symbols*, London 1978, p. 7; **p. 111** R. W. Emerson, *The Poet*, in *The Collected Works of Ralph Waldo Emerson*, Boston-New York 1876, vol. III, p. 20; **p. 116-17** Niccolò Lorini del Monte, *Elogii delle più principali s. donne del sagro calendario e martirologio romano*, Firenze 1617, p. 316; **p. 136** Thomas Carlyle, *Sartor Resartus*, London 1831, cap. 3, p. 153.